독해? 독해!
독해가 뭐예요?

똑똑한 독해 질문

하나!

다들 '독해, 독해' 하는데 독해가 뭐예요?

글자를 읽기만 하는 게 아니라
진짜 이해하여 내 지식으로 만드는 것이 독해예요!

똑똑한 독해 질문

둘!

그럼 독해는 국어인가요?

독해는 그냥 국어만이 아니에요. 읽고 이해하는 독해가 안되면 수학 문제도 풀 수 없어요. 이처럼 독해는 모든 과목 공부를 잘하기 위한 기초랍니다. 독해를 통해 모든 과목의 지식을 내 것으로 만드는 방법을 배워야 해요.

똑똑한 독해 질문

셋!

글 읽고 문제만 계속 풀면 독해 공부가 되나요?

무조건 글 읽고 문제만 푼다고 독해 공부가 잘될 리 없지요. 「똑똑한 하루 독해」로 공부해 보세요. 먼저 어휘를 익히고 시나 이야기뿐만 아니라 수학, 사회, 과학, 역사, 예술은 물론 생활 속 글까지 다양하게 읽어 보세요. 그리고 어휘 심화 문제와 게임으로 실력을 다져요. 이해도 쏙쏙 되고 지루할 틈이 없겠지요?

진짜 똑똑한 독해를 시작해 볼까요?

이 책의
특징과 장점

똑똑한 하루 독해로
똑똑해지자!

뭐 이렇게 독해책이 많아?

모르는구나?
요즘 독해가 대세야!

독해를 잘해야 국어뿐만
아니라 다른 과목 문제를
풀 때에도 요점을 잘짚어
이해하고 풀 수 있다고.

독해는 어휘가 기본인데,
이 책은 어휘가 너무 부족해.

이 책은 너무 글만 가득해서
어렵고 지루해. 벌써 졸려!

이 책은 몽땅 교과서 글만 있잖아.
난 다양한 글을 읽고 싶은걸.

Why? 똑똑한 하루 독해!
왜 똑똑한 하루 독해일까요?

① **10분**이면 **하루 독해 끝!** 쉽고 재미있는 독해 공부!

② **어휘로 준비**하고 **어휘로 마무리!** 어휘력 쏙! 독해력 쑤욱!

③ **'문학 · 비문학 · 실생활' 알짜 지문!** 하루하루 다양하고 즐거운 독해!

④ **독해 최초 생활 속 독해, 생활 어휘, 생활 한자!** 생활 맞춤 실용 독해 완성!

⑤ **똑똑한 독해 게임**으로 **사고력 넓히기!** 창의 · 융합 독해력 팍팍!

이 책의 구성과 활용

한 주에 공부할 내용을
한눈에 보고,
문제로 확인합니다.

주 도입

한 주 동안 매일 공부할 글의 제목과 내용을 만화로 미리 살펴
보고, 한 주의 독해 속 어휘를 만화와 문제로 확인합니다.

독해 코스

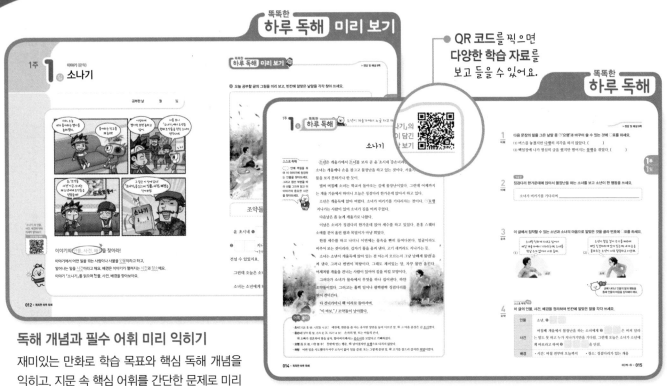

QR 코드를 찍으면
다양한 학습 자료를
보고 들을 수 있어요.

독해 개념과 필수 어휘 미리 익히기

재미있는 만화로 학습 목표와 핵심 독해 개념을
익히고, 지문 속 핵심 어휘를 간단한 문제로 미리
익히며 독해를 준비합니다.

실전 독해와 다양한 유형의 핵심 문제 풀기

여러 영역의 글을 읽고 다양한 유형의 문제로 독해를 완성합니다. 서술형 문제로
쓰기 연습을 해 보고, '스스로 독해 해결!' 문제로 자기 주도 학습 능력을 키웁니다.

똑똑한 하루 독해 어휘

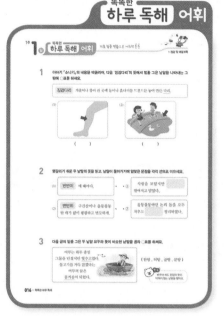

똑똑한 하루 독해 게임

어휘 문제로 마무리하기
글에 쓰인 어휘를 문제로 다시 한번 확인하고 비슷한말, 반대말 등 관련 어휘 학습으로 어휘력을 넓힙니다.

게임으로 독해력 넓히기
재미있는 독해 게임으로 독해력을 넓히고 하루의 독해 학습을 마무리합니다.

누구나 100점 테스트와
주 특강으로 한 주의 독해를
마무리해 봅니다.

주 마무리

누구나 100점 테스트

주 특강 창의·융합·코딩

누구나 100점 테스트
한 주 동안 공부한 내용을 평가해 보며 독해 실력을 확인하고, 독해에 대한 자신감을 키웁니다.

주 특강 창의·융합·코딩
다양한 형식의 창의·융합·코딩 미션을 해결하며 한 주의 중요 어휘를 확인하고 다양한 배경지식을 넓힙니다.

친구들과 약속해요!

우리 같이 약속해요!

첫째, 하루하루 빠짐없이 꾸준히 공부하기!

둘째, 하루 독해 문제 끝까지 다 풀기!

셋째, 틀린 문제는 왜 틀렸는지 다시 한번 확인하기!

약속하는 사람 _____

쉽고 재미있는
『똑똑한 하루 독해』로
독해 공부를 시작해 봐요.

똑똑한 하루 독해

NYANGI

6 단계 A

5~6학년

1-1 다음 문장에 넣을 바른 낱말을 골라 ○표를 하세요.

　우리 생활 주변의 문을 살펴보면 문이 열리는 방향은 문의 기능적 측면에서 공간의 활용, 비상시 대피, 행동 과학 등 다양한 (요소 , 호소)가 작용함을 알 수 있다.

> **힌트**
> '요소'는 무엇을 이루는 데 반드시 있어야 할 중요한 성분이나 조건이고, '호소'는 억울하거나 딱한 사정을 남에게 간곡히 알리는 것을 말해요.

1-2 다음 문장의 빈칸에 들어갈 낱말로 알맞은 것에 ○표를 하세요.

이 책은 입체 그림 등 여러 가지 재미있는 　　를 가지고 있다.

(1) 요새 (　　　　　)　　　　(2) 요소 (　　　　　)　　　　(3) 요구 (　　　　　)

정답 및 해설 8쪽

2-1 다음 문장의 빈칸에 넣을 바른 낱말을 골라 ◯표를 하세요.

임시 정부가 ⬚⬚⬚ 이 없어 어려움에 처하자 김구는 해외에 있는 동포들에게 편지를 썼다.

(1) 손금 (　　　　)

(2) 눈금 (　　　　)

(3) 자금 (　　　　)

힌트
독립운동을 하려면 돈이 필요해요.
빈칸엔 '특정한 목적을 위해 쓰는 돈.'을
뜻하는 낱말을 넣어야 해요.

2-2 다음 문장의 밑줄 그은 낱말을 바르게 고친 것을 보기 에서 골라 쓰세요.

여자 친구가 생긴 삼촌은 결혼 상금을 마련하기 위해 열심히 일했다.

보기
벌금　　　자금

상 금 ➡ ⬚⬚

1일 소나기

「소나기」의 인물,
사건, 배경에 대해
자세히 알아보기

이야기의 인물, 사건, 배경을 찾아라!

이야기에서 어떤 일을 겪는 사람이나 사물을 인물이라고 하고,

일어나는 일을 사건이라고 해요. 배경은 이야기가 펼쳐지는 시간과 장소예요.

이야기 「소나기」를 읽으며 인물, 사건, 배경을 찾아보아요.

● 오늘 공부할 글의 그림을 미리 보고, 빈칸에 알맞은 낱말을 각각 찾아 쓰세요.

| 조약돌 | 증손녀 | 불행 | 요행 |

윤 초시네 ❶ ☐☐☐ 인 소녀는 며칠째 개울에서 물장난을 하고 있어요.
 →손자의 딸. 또는 아들의 손녀.

❷ ☐☐ 지나가는 사람이 있어 소녀가 길을 비켜 주고서야 소년은 징검다리를
 →뜻밖에 얻는 행운.

건널 수 있었지요.

그런데 오늘은 소녀가 소년을 향해 ❸ ☐☐☐ 을 던지는 게 아니겠어요?
 →작고 동글동글한 돌.

소녀는 소년에게 왜 그런 행동을 했을까요? 둘은 앞으로 어떻게 될까요?

소년이 개울가에서 누굴 자꾸 마주친다고?

아래 「소나기」의 내용이 담긴 영상 보기

소나기

황순원

스스로 독해

⌒ 안에 색칠을 하며 이 이야기에 등장하는 인물을 찾아보세요. 그리고 점선 부분을 따라 선을 그으며 읽고 이 이야기의 중요한 사건을 찾아보세요.

소년은 개울가에서 소녀를 보자 곧 윤 초시네 증손녀라는 걸 알 수 있었다. 소녀는 개울에다 손을 잠그고 물장난을 하고 있는 것이다. 서울서는 이런 개울물을 보지 못하기나 한 듯이.

벌써 며칠째 소녀는 학교서 돌아오는 길에 물장난이었다. 그런데 어제까지는 개울 기슭에서 하더니 오늘은 징검다리 한가운데 앉아서 하고 있다.

소년은 개울둑에 앉아 버렸다. 소녀가 비키기를 기다리자는 것이다. ㉠요행 지나가는 사람이 있어 소녀가 길을 비켜 주었다.

다음날은 좀 늦게 개울가로 나왔다.

이날은 소녀가 징검다리 한가운데 앉아 세수를 하고 있었다. 분홍 스웨터 소매를 걷어 올린 팔과 목덜미가 마냥 희었다.

한참 세수를 하고 나더니 이번에는 물속을 빤히 들여다본다. 얼굴이라도 비추어 보는 것이리라. 갑자기 물을 움켜 낸다. 고기 새끼라도 지나가는 듯.

소녀는 소년이 개울둑에 앉아 있는 걸 아는지 모르는지 그냥 날쌔게 물만 움켜 낸다. 그러나 번번이 허탕이다. 그래도 재미있는 양, 자꾸 물만 움킨다. 어제처럼 개울을 건너는 사람이 있어야 길을 비킬 모양이다.

그러다가 소녀가 물속에서 무엇을 하나 집어낸다. 하얀 조약돌이었다. 그러고는 홀쩍 일어나 팔짝팔짝 징검다리를 뛰어 건너간다.

다 건너가더니 휙 이리로 돌아서며,

"이 바보." / 조약돌이 날아왔다.

어휘 풀이

▼ **초시** | 처음 초 初, 시험할 시 試 | 예전에, 한문을 좀 아는 유식한 양반을 높여 이르던 말. 예 그 마을 훈장은 김 초시였다.

▼ **증손녀** | 일찍 증 曾, 손자 손 孫, 여자 녀 女 | 손자의 딸. 또는 아들의 손녀.
   예 오빠가 결혼하여 딸을 낳자, 할아버지께서는 증손녀를 보았다고 기뻐하셨다.

▼ **요행** | 돌 요 徼, 다행 행 幸 | 뜻밖에 얻는 행운. 예 넘어졌지만 요행으로 다치지 않았다.

▼ **허탕** 어떤 일을 시도했다가 아무 소득이 없이 일을 끝냄. 또는 그렇게 끝낸 일. 예 고기를 잡으러 갔지만 허탕이었다.

▶정답 및 해설 8쪽

1
어휘

다음 문장의 밑줄 그은 낱말 중 ㉠'요행'과 바꾸어 쓸 수 있는 것에 ○표를 하세요.

(1) 버스를 놓쳤지만 <u>다행히</u> 지각을 하지 않았다. (   )

(2) 백일장에 나가 열심히 글을 썼지만 떨어지는 <u>불행</u>을 겪었다. (   )

2
이해

서술형

징검다리 한가운데에 앉아서 물장난을 하는 소녀를 보고 소년이 한 행동을 쓰세요.

> 소녀가 비키기를 기다리며 _____

3
유추

이 글에서 짐작할 수 있는 소년과 소녀의 마음으로 알맞은 것을 골라 번호에 ○표를 하세요.

(1)
> 소녀랑 친하게 지내고 싶어서 매일 개울가에서 기다리는데, 소녀를 만날 수가 없어서 너무 슬퍼.

 소년

(2)
> 소년이 말을 걸어 주기를 바라며 매일 징검다리에 앉아 있는데, 내 마음을 몰라주는 소년이 너무 답답하고 서운해.

소녀

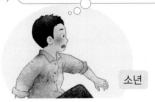
힌트
글에 나타난 인물의 말과 행동을 통해 인물의 마음을 짐작해야 해요.

4
요약

 스스로 독해 해결!

이 글의 인물, 사건, 배경을 정리하여 빈칸에 알맞은 말을 각각 쓰세요.

인물	소년, ❶ ☐ ☐
사건	며칠째 개울에서 물장난을 하는 소녀에게 ❷ ☐ ☐ 은 비켜 달라는 말도 못 하고 누가 지나가기만을 기다림. 그런데 오늘은 소녀가 소년에게 바보라고 하며 ❸ ☐ ☐ ☐ 을 던짐.
배경	• 시간: 며칠 전부터 오늘까지 • 장소: 징검다리가 있는 개울

▶정답 및 해설 8쪽

1 이야기 「소나기」의 내용을 떠올리며, 다음 '징검다리'의 뜻에서 밑줄 그은 낱말을 나타내는 그림에 ○표를 하세요.

> **징검다리** 개울이나 물이 괸 곳에 돌이나 흙더미를 드문드문 놓아 만든 <u>다리</u>.

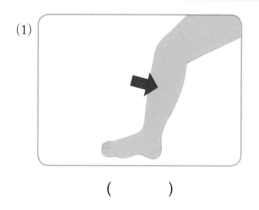

(1)

(   )

(2)

(   )

2 헷갈리기 쉬운 두 낱말의 뜻을 읽고, 낱말이 들어가기에 알맞은 문장을 각각 선으로 이으세요.

(1) **번번이** 매 때마다. ·

· ① 시험을 보았지만 ▢▢▢▢ 떨어지고 말았다.

(2) **번번히** 구김살이나 울퉁불퉁한 데가 없이 평평하고 번듯하게. ·

· ② 울퉁불퉁하던 논의 돌을 모두 치우고 ▢▢▢▢ 정리하였다.

3 다음 글의 밑줄 그은 두 낱말 모두와 뜻이 비슷한 낱말을 골라 ○표를 하세요.

> 어부는 하루 종일 그물을 던졌지만 <u>헛수고</u>였다. 물고기를 가득 잡겠다는 어부의 꿈은 <u>물거품</u>이 되었다.

(한탕 , 허탕 , 골탕 , 분탕)

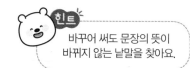

힌트
바꾸어 써도 문장의 뜻이 바뀌지 않는 낱말을 찾아요.

◉ 가족이나 친척 사이의 관계를 나타낸 다음 그림을 보고, (   ) 안에서 알맞은 답을 찾아 ○표를 하세요.

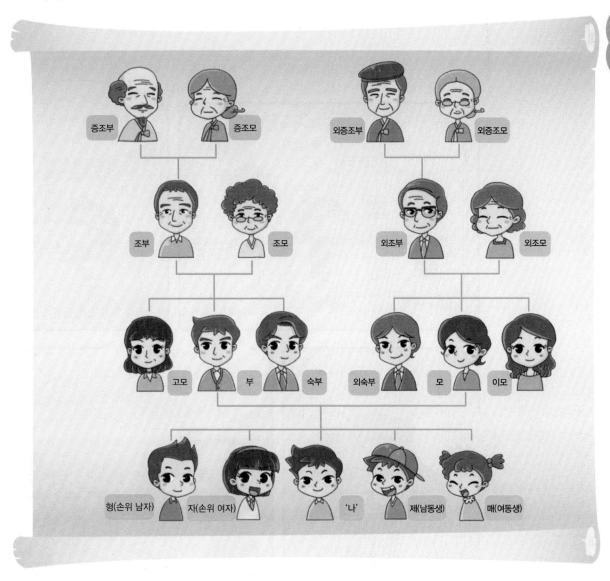

 이야기 「소나기」에서 윤 초시의 증손녀인 '소녀'에게 윤 초시는 아버지의 할아버지예요. 위 그림으로 보아, '소녀'에게 윤 초시는 (조부 , 증조부)이지요.

 가족이나 친척의 관계를 살펴보고 「소나기」에 나온 **인물의 가족 관계**를 생각해 봅니다. 그리고 그림을 보고 자신의 가족과 친척과의 관계도 더 알아봅니다.

과학 (비문학)

은행 문은 왜 안쪽으로 열릴까?

공부한 날   월   일

중심 생각에 대해
자세히 알아보기

천재 학습 백과

제목을 정한 까닭을 찾아 중심 생각을 파악해라!

글의 제목에는 글쓴이가 글을 쓴 까닭과 생각이 담겨 있어요.

그래서 글에서 제목을 정한 까닭을 찾으면 글의 중심 생각을 알 수 있지요.

「은행 문은 왜 안쪽으로 열릴까?」를 읽고 제목을 정한 까닭을 찾아서

글의 중심 생각을 파악해 봐요.

똑똑한

하루 독해 미리 보기

▶정답 및 해설 9쪽

◎ 오늘 공부할 글의 그림을 미리 보고, 빈칸에 알맞은 낱말을 보기 에서 각각 찾아 쓰세요.

보기

도피　　　대피　　　도난

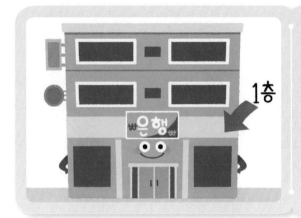

❶ □□

위험이나 피해를 입지 않도록 일시적으로 피함.

예 대부분의 은행은 1층에 위치하여 외부로 ○○하기 쉽게 자리 잡고 있다.

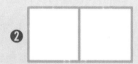

❷ □□

도둑을 맞는 재난.

예 은행은 ○○으로부터의 안전에 주된 관심을 두고 은행 문의 여닫는 방향을 결정하였다.

❸ □□

도망하여 몸을 피함.

예 은행 문이 안쪽으로 열린다면 1초가 아쉬운 상황에서 도둑의 ○○ 시간을 조금이나마 늦출 수 있다.

여러 가지 문에 대해 더 알아보기

은행 문은 왜 안쪽으로 열릴까?

이재인

스스로 독해

글의 제목을 「은행 문은 왜 안쪽으로 열릴까?」로 정한 까닭은 무엇일까요? 점선 부분을 따라 선을 그으며 읽어 보고 답을 찾아보세요.

은행은 무엇보다도 안전과 신용을 가장 ㉠중시하는 곳이다. 다른 건축물도 은행과 마찬가지로 사람들의 안전을 전제하지만, 다른 건축물들이 '재난'으로부터의 대피가 주 관심사인 반면, 은행은 '도난'으로부터의 안전이 주 관심사인 점이 다르다.

물론 은행에서도 화재는 일어날 수 있고, 많은 사람들이 출입하는 공공의 장소이기 때문에 대피에 대한 관심을 완전히 배제할 수는 없다. 그러나 대부분의 은행은 1층에 위치하여 외부로 대피하기 쉽게 자리 잡고 있다. 따라서 도난으로부터의 안전에 주된 관심을 두고 은행 문의 여닫는 방향을 결정할 수 있다. 물론 은행의 안전이 단지 문 하나로 해결되는 것은 아니다. 그러나 은행 문이 안쪽으로 열린다면 1초가 아쉬운 상황에서 도둑의 도피 시간을 조금이나마 늦출 수 있을 것이다.

이와 같이 우리 생활 주변의 문을 살펴보면 문이 열리는 방향은 문의 기능적 측면에서 공간의 활용, 비상시 대피, 행동 과학 등 다양한 요소가 작용함을 알 수 있다.

어휘 풀이

- ▼ **전제** |앞 전 前, 끌 제 提| 어떠한 사물이나 현상을 이루기 위하여 먼저 내세우는 것.
  - 예 그 이론은 지구는 둥글다는 것을 전제로 만들어졌다.
- ▼ **재난** |재앙 재 災, 어려울 난 難| 뜻밖에 일어난 재앙과 고난. 예 자연에 의한 재난을 막기 위해 노력하였다.
- ▼ **대피** |기다릴 대 待, 피할 피 避| 위험이나 피해를 입지 않도록 일시적으로 피함.
  - 예 지진이 나자 사람들은 건물 밖으로 대피하였다.
- ▼ **도난** |도둑 도 盜, 어려울 난 難| 도둑을 맞는 재난. 예 문화재 도난 사건이 일어났다.
- ▼ **배제** |물리칠 배 排, 덜 제 除| 받아들이지 않고 물리쳐 제외함. 예 토의할 때 실현 가능성 없는 의견은 배제한다.
- ▼ **도피** |달아날 도 逃, 피할 피 避| 도망하여 몸을 피함. 예 독립운동가들은 일본의 감시를 피해 해외로 도피하였다.

1
어휘

다음 보기 는 ㉠'중시'의 뜻과, 반대말인 '경시'의 뜻입니다. 보기 를 보고, 각 문장에 알맞은 낱말을 각각 골라 ◯표를 하세요.

> 보기
>
> **중시** 가볍게 여길 수 없을 만큼 매우 크고 중요하게 여김.
>
> **경시** 대수롭지 않게 보거나 업신여김.

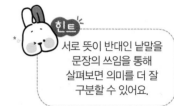

힌트
서로 뜻이 반대인 낱말을 문장의 쓰임을 통해 살펴보면 의미를 더 잘 구분할 수 있어요.

1주
2일

(1) 오직 자신의 이익만을 (중시 , 경시)하지 말고, 어려운 사람들을 도우며 살자.

(2) 지나치게 잔인한 컴퓨터 게임을 오래 하면 생명을 (중시 , 경시)하는 태도를 보일 수도 있다.

2
이해

은행은 무엇을 가장 중요하게 생각하는 곳인지 두 가지를 골라 ◯표를 하세요.

안전   신속   신용   친절

은행

3
이해

서술형

은행에서 화재가 일어났을 때 외부로 쉽게 대피할 수 있는 까닭은 무엇인지 쓰세요.

대부분의 은행이 _____ 때문이다.

4
요약

스스로 독해 해결!

이 글의 제목을 정한 까닭을 생각하며 내용을 정리하여 빈칸에 알맞은 말을 각각 쓰세요.

은행은 ❶ '☐ ☐'으로부터의 안전에 주된 관심을 두고 은행 ❷ ☐ 이 안쪽으로 열리도록 하였다. 왜냐하면 은행 문이 안쪽으로 열리면 도둑의 도피 시간을 조금이나마 늦출 수 있기 때문이다. 이러한 내용을 알려 주기 위해 이 글의 제목을 「은행 문은 왜 ❸ ☐ ☐으로 열릴까?」라고 정하였다.

1 「은행 문은 왜 안쪽으로 열릴까?」의 내용을 떠올리며 다음 낱말을 각각 완성하세요.

(1) 다른 건축물도 은행과 마찬가지로 사람들의 안전을 ㅈ ㅈ 한다.
↳ 무엇을 이루려고 먼저 내세우는 것.

(2) 은행도 공공의 장소여서 대피에 대한 관심을 완전히 ㅂ ㅈ 할 수는 없다.
↳ 물리쳐 제외함.

2 다음 빈칸에 알맞은 낱말을 보기 에서 각각 찾아 쓰세요.

보기

재난   도난   대피

(1) 화재와 같은 ❶ [   ] 을 당하면
모두 신속하게 ❷ [   ] 해야 한다.

(2) 도둑에게 보물을 [   ] 당할까 봐
부자가 사나운 개를 풀었고, 도둑은 개
를 피해 도피하였다.

3 다음 문장의 빈칸에 들어가기에 알맞은 낱말을 각각 선으로 이으세요.

(1) 문이 열리는 방향
은 서로 [   ]. · · ① 틀리다

(2) 문이 모두 같은 방
향으로 열린다는 말은
[   ]. · · ② 다르다

힌트
'틀리다'는 계산이나 사실
등이 맞지 않을 때, '다르다'
는 어떤 점이 서로 같지 않을 때
사용해요.

○ 이상한 나라에 간 앨리스가 말을 하는 문들을 만났어요. 문들이 말하는 방법대로 문을 열고 집을 찾아가는 길에 선을 그으세요. 그리고 아래 빈칸에 알맞은 수를 쓰세요.

 앨리스가 집에 오면서 문을 연 방법을 보고, 다음 식을 완성하여 답을 쓰세요.

| 식 | | + | | − | | + | | = | 답 | |

❀ : 집에 오는 동안 만난 문의 개수   ❦ : 문을 안으로 당긴 횟수

❁ : 문을 밖으로 민 횟수   ✿ : 문을 옆으로 민 횟수

 「은행 문은 왜 안쪽으로 열릴까?」의 내용을 떠올리며 **문의 종류**에 따라 **문을 여는 방법**이 다르다는 것을 다시 한번 확인하고 **식을 세워 수학 문제**도 풀어 봅니다.

봄날

공부한 날   월   일

시에 대해
자세히 알아보기

시를 읽고 시인의 생각을 알아내라!

시에는 시인이 시를 통해 전달하려는 생각이 들어 있어요.

시 「봄날」을 읽으며 시에서 말하는 이가 본 것과 상상한 것을 구분하고

시인의 생각을 알아보아요.

● 오늘 공부할 글의 그림을 미리 보고, 빈칸에 알맞은 낱말을 각각 찾아 쓰세요.

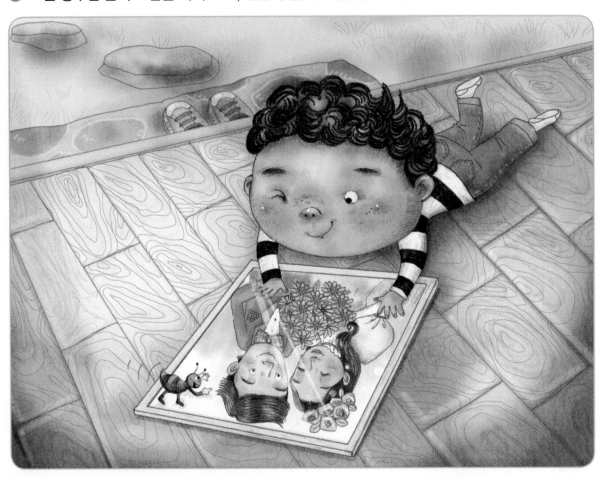

| 졸업식 | 봄날 | 결혼식 | 팔짱 |

❶ ☐☐ 에 혼자 집을 지키던 아이가 엄마 아빠 ❷ ☐☐☐ 사진을
→봄철의 날.   →부부 관계를 맺는 약속을 하는 의식.

들여다보고 있어요.

사진 위로는 키 작은 개미 한 마리가 지나가고요.

아이는 사진 속 ❸ ☐☐ 을 낀 부모님을 보며 어떤 상상을 하였을까요?
→한 사람이 옆 사람의 팔에 자신의 팔을 끼는 일.

동시 「봄날」 듣기

봄날

정호승

스스로 독해

점선 부분을 따라 선을 그으며 시를 읽고, 직접 본 것과 구분되는 아이의 상상을 찾아보아요. 그리고 그것을 통해 드러나는 시인의 생각도 짐작해 보아요.

봄날에 혼자 집을 지키다가

엄마 아빠 결혼식 사진을 들여다본다

사진 위로 키 작은 개미 한 마리 기어가고

엄마 아빠는 간지럼을 타며

팔짱을 끼고 서 있다

나는 슬쩍 팔짱을 풀고

그들 한가운데로 비집고 들어가 본다

신랑 신부가 내 손을 잡는다

따스하다

창밖에 햇살이 눈부시다

어휘 풀이

▼ **결혼식** |맺을 결 結, 혼인할 혼 婚, 법식 식 式| 부부 관계를 맺는 약속을 하는 의식. 예 삼촌은 해외에서 결혼식을 하셨다.

▼ **타며** 부끄럼이나 노여움 따위의 감정이나 간지럼 따위의 육체적 느낌을 쉽게 느끼며.
예 누나는 처음 보는 사람 앞에서는 부끄럼을 타며 쑥스러워하는 성격이다.

▼ **팔짱** 나란히 있는 두 사람 중 한 사람이 옆 사람의 팔에 자신의 팔을 끼는 일. 예 친구와 팔짱을 끼고 거리를 걷는다.

▼ **한가운데** 공간이나 시간, 상황 따위의 바로 가운데. 예 내 방 한가운데에는 큰 곰 인형이 있다.

▼ **비집고** 좁은 틈을 헤쳐서 넓히고. 예 지하철 문 앞을 막고 있는 사람들 틈을 비집고 들어갔다.

1
문법

이 시의 다음을 소리 내어 읽었을 때, 글자 그대로 소리 나는 부분의 기호를 쓰세요.

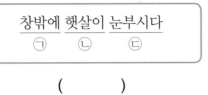

창밖에 햇살이 눈부시다
ㄱ   ㄴ   ㄷ

(   )

힌트
받침이 있는 글자 뒤에 모음자가 오면 받침이 모음자로 이어져서 소리 나기 때문에 글자와 발음이 다르지요.

1주
3일

2
이해

스스로 독해 해결! 서술형

이 시의 아이가 본 것과 상상한 것을 다음과 같이 정리하였어요. 빈칸에 알맞은 말을 쓰세요.

본 것	엄마 아빠의 결혼식 사진과 사진 위를 기어가는 개미
상상한 것	• 개미 때문에 사진 속 엄마 아빠가 간지럼을 탄다. • 아이가 사진 속 신랑 신부 한가운데로 비집고 들어가자, 신랑 신부인 아빠와 엄마가 아이의 _____

3
유추

이 시에서 시인이 전하고자 하는 생각으로 알맞은 것에 ◯표를 하세요.

(1) 아이가 혼자 집을 지키는 것은
위험하다. (   )

(2) 엄마 아빠의 결혼식 사진에 들어가고
싶어 하는 아이의 상상이 순수하다. (   )

힌트
시 속 아이가 본 것과 상상한 것을 정리한 내용을 통해 시인이 전하고자 하는 생각을 짐작할 수 있어요.

4
요약

이 시의 내용을 정리하여 빈칸에 알맞은 말을 각각 쓰세요.

봄날에 아이는 혼자 ❶ ☐ 을 지키다가 엄마 아빠 결혼식 ❷ ☐ ☐ 을 본다.
아이는 그 사진 속으로 들어가는 상상을 하며 따스함을 느낀다.
창밖에는 봄날의 ❸ ☐ ☐ 이 눈부시게 쏟아진다.

1 [보기] 와 같이 다음 그림에 어울리는 낱말을 빈칸에 쓰세요.

[보기]

결혼을 하는 의식

| 결 | 혼 | 식 |

졸업을 하는 의식

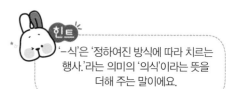

힌트

'-식'은 '정하여진 방식에 따라 치르는 행사.'라는 의미의 '의식'이라는 뜻을 더해 주는 말이에요.

2 [보기] 를 보고 '한-'이 어떤 뜻을 더해 주는지 알아보세요. 그리고 '한-'이 쓰인 낱말의 뜻을 나타내는 그림을 찾아 각각 선으로 이으세요.

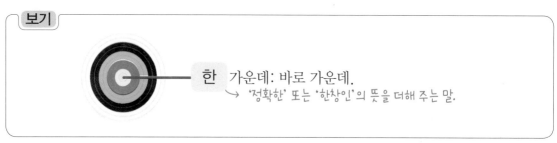

[보기]

한 ──○ 가운데: 바로 가운데.
↳ '정확한' 또는 '한창인'의 뜻을 더해 주는 말.

(1) 한여름 더위가 한창인 여름.

(2) 한겨울 추위가 한창인 겨울.

①

②

◉ 시 「봄날」에서 엄마 아빠의 결혼식 사진으로 들어간 아이가 사진 밖으로 빠져나오지 못하고 있어요. 개미의 뒤를 따라 사진을 빠져나오는 길을 찾아 선을 그어 보세요.

1주
3일

 시 「봄날」의 아이가 **사진 속으로 들어가는 상상**을 하였던 것을 떠올리며 **아이가 태어나서 자라는 과정을 따라 사진 밖으로 나오는 길**을 찾아봅니다.

백범 김구

공부한 날   월   일

배경지식에 대해
자세히 알아보기

천재 학습 백과

아는 것과 관련지으며 글을 읽어라!

글을 읽을 때 자신이 아는 내용과 관련지어 읽으면

글이 더 쉽게 이해되고 재미있어요.

자신이 아는 내용을 '배경지식'이라고 하지요.

그럼 배경지식을 떠올리며 「백범 김구」를 읽어 볼까요?

1주
4일

● 오늘 공부할 글과 그림을 미리 보고, 알맞은 낱말을 각각 찾아 표시하세요.

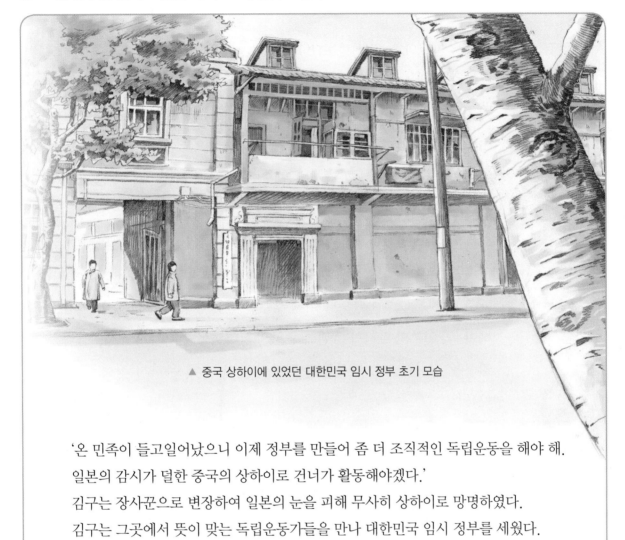

▲ 중국 상하이에 있었던 대한민국 임시 정부 초기 모습

'온 민족이 들고일어났으니 이제 정부를 만들어 좀 더 조직적인 독립운동을 해야 해.
일본의 감시가 덜한 중국의 상하이로 건너가 활동해야겠다.'
김구는 장사꾼으로 변장하여 일본의 눈을 피해 무사히 상하이로 망명하였다.
김구는 그곳에서 뜻이 맞는 독립운동가들을 만나 대한민국 임시 정부를 세웠다.

1 '단속하기 위하여 주의 깊게 살핌.'이라는 뜻의 낱말을 찾아 ○표를 하세요.

2 '옷차림이나 얼굴, 머리 모양 따위를 다르게 바꿈.'이라는 뜻의 낱말을 찾아 △표를 하세요.

3 '몰래 자기 나라를 떠나 다른 나라로 감.'이라는 뜻의 낱말을 찾아 □표를 하세요.

대한민국
임시 정부에 대해
더 알아보기

백범 김구

스스로 독해

점선 부분을 따라 선을 그으며 글을 읽고, 그 부분과 자신이 아는 것을 관련지어 이해해 보세요.

김구는 자신의 호를 '백범(白凡)'이라고 지었다. '백(白)'은 '백정'을 뜻하고, '범(凡)'은 '평범하다'라는 뜻이었다. 즉, 백정이나 평범한 사람도 나라를 사랑하는 마음이 자신과 같다면 우리나라가 완전한 독립을 이룰 수 있다고 생각했던 것이다.

그 뒤, 김구는 15년 형을 받고 여러 곳의 감옥으로 옮겨 다니다 결국 4년 만에 풀려났다. 그가 일본의 감시를 받으며 농촌 계몽 운동을 하던 1919년 봄, 3·1 운동이 일어났다.

그는 마음속으로 만세를 불렀다. 당장 달려 나가 큰 소리로 만세를 부르고 싶었지만, 일본의 특별 감시 대상이라 함부로 행동할 수 없었다.

'온 민족이 들고일어났으니 이제 정부를 만들어 좀 더 조직적인 독립운동을 해야 해. 일본의 감시가 ㉠덜한 중국의 상하이로 건너가 활동해야겠다.'

김구는 장사꾼으로 변장하여 일본의 눈을 피해 무사히 상하이로 망명하였다.

김구는 그곳에서 뜻이 맞는 독립운동가들을 만나 대한민국 임시 정부를 세웠다.

임시 정부가 자금이 없어 어려움에 처하자 김구는 해외에 있는 동포들에게 편지를 썼다. 해외에 살면서 힘든 노동으로 먹고살던 동포들은 김구의 편지를 받고 피땀 흘려 모은 돈을 임시 정부로 보내 주었다.

▲ 백범 김구
(1876~1949)

어휘 풀이

▼ **백정** | 흰 백 白, 고무래 정 丁 | 소나 개, 돼지 따위를 잡는 일을 직업으로 하는 사람. 예 임꺽정은 백정의 아들이었다.

▼ **계몽** | 열 계 啓, 어릴 몽 蒙 | 지식이 낮은 사람들을 가르쳐서 올바른 지식을 가지게 함. 예 세종은 백성 계몽에 힘썼다.

▼ **조직적** | 짤 조 組, 짤 직 織, 과녁 적 的 | 일이나 행동 따위에 체계가 짜여 있는 것.
예 학생회가 꾸려져서 조직적인 활동을 하였다.

▼ **변장** | 변할 변 變, 꾸밀 장 裝 | 본래의 모습을 알아볼 수 없게 하기 위하여 옷차림이나 얼굴, 머리 모양 따위를 다르게 바꿈.
예 소녀는 선비로 변장을 하고 길을 떠났다.

▼ **망명** | 망할 망 亡, 목숨 명 命 | 정치, 사상 등을 이유로 받는 탄압이나 위협을 피하기 위해 몰래 자기 나라를 떠나 다른 나라로 감. 예 일제 강점기에 많은 독립운동가들이 망명을 떠났다가 다시 고향으로 돌아오지 못하였다.

서술형

1 김구가 자신의 호를 '백범'이라고 지은 까닭을 쓰세요.

이해

> '백(白)'은 '백정'을 뜻하고, '범(凡)'은 '평범하다'라는 뜻으로, 백정이나 평범한 사람도
>
> _____ 이 자신과 같다면
>
> 우리나라가 완전한 독립을 이룰 수 있다고 생각했기 때문이다.

1주 4일

2 다음 문장에서 밑줄 그은 낱말이 ㉠'덜한'과 뜻이 반대인 것에 ○표를 하세요.

어휘

(1) 이순신 장군은 목숨이 <u>다한</u> 순간까지 승리
만을 생각하였다. (   )

(2) 아버지께서는 자식을 생각하면 <u>더한</u> 고생
도 할 수 있다고 하셨다. (   )

힌트
'덜하다'는 '어떤 기준보다 정도가
약하다.'라는 뜻이에요.
'어떤 기준보다 정도가 심하다.'라는
뜻을 가진 낱말을 찾아요.

스스로 독해 해결!

3 자신이 아는 것과 관련지어 이 글을 읽은 친구의 이름에 ○표를 하세요.

유추

백범 김구와 독립운동가들이
상하이에 대한민국 임시 정부를
세웠구나. — 백현

당시 상하이에 외국인들이 사는
지역은 일본의 영향력이 미치지 못하는
곳이었다는 내용을 책에서 읽은 적이 있어.
그래서 김구가 임시 정부를 그곳에 세운
까닭을 쉽게 알 수 있었어. — 소희

힌트
글의 내용만이 아니라
자신이 미리 알고 있었던
내용과 관련지어 말한
친구를 찾아요.

4 이 글에서 백범 김구가 한 일을 정리하여 빈칸에 알맞은 말을 각각 쓰세요.

요약

> 감옥에서 풀려난 뒤, ❶ ☐☐ 의 감시를 받으며 농촌 계몽 운동을 하였다.
>
> → 3·1 운동이 일어나자 정부를 만들어야겠다고 생각하고, 중국의 상하이로 망명
> 하여 독립운동가들과 함께 대한민국 ❷ ☐☐☐☐ 를 세웠다.
>
> → 임시 정부가 ❸ ☐☐ 이 없어 어려움에 처하자 해외 동포들에게 편지를 보
> 내 돈을 모았다.

▶ 정답 및 해설 11쪽

1 보기 를 보고, 다음 낱말과 뜻이 반대인 말을 각각 만들어 쓰세요.

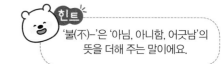

> 보기
>
> **완전** 필요한 것이 모두 갖추어져 모자람이나 흠이 없음.
>
> ↕
>
> **불완전** 완전하지 않거나 완전하지 못함.

(1) **가능** 할 수 있거나 될 수 있음.

↕

[   ] 가능하지 않음.

힌트
'불(不)–'은 '아님, 아니함, 어긋남'의 뜻을 더해 주는 말이에요.

(2) **규칙** 여러 사람이 다 같이 지키기로 작정한 법칙. 또는 제정된 질서.

↕

[   ] 규칙에서 벗어나 있음. 또는 규칙이 없음.

2 다음 대화를 참고하여 '피땀 흘리다'를 알맞게 사용한 문장의 번호에 모두 ○표를 하세요.

나는 사람들을 지키기 위해 피땀 흘리는 버그맨이다!

사람들을 지키려고 온갖 힘과 정성을 쏟아 노력하는구나! 멋지네!

(1) 시험에 합격하기 위해 피땀 흘려 공부하였다.

(2) 바다를 바라보며 햇살을 쬐니 피땀이 흘렀다.

(3) 훌륭한 연주자가 되려고 피땀 흘려 연습하였다.

● 임시 정부를 세운 백범 김구의 소원은 무엇이었을까요? 암호를 풀어 백범 김구의 소원을 알아보세요.

"네 소원이 무엇이냐?" 하고 하나님이 내게 물으시면 나는 서슴지 않고
"내 소원은 대한 ☆★이오." 하고 대답할 것이다.
"그다음 소원은 무엇이냐?" 하면, 나는 또 "우리나라의 ☆★이오." 할 것이요,
또 "그다음 소원이 무엇이냐?" 하는 셋째 번 물음에도 나는 더욱 소리를 높여서
"나의 소원은 우리나라 대한의 완전한 자주☆★이오." 하고 대답할 것이다.

– 김구, 『백범일지』의 「나의 소원」 중에서

백범 김구의 소원인 ☆★은 무엇일까요? 다음 그림이 나타내는 낱자를 맞추어 나오는 글자로 답을 써 보세요.

그림	❄	🌿	🌼	☀	✿	⚙
나타내는 낱자	ㄷ	ㄹ	ㅗ	ㅣ	ㄱ	ㅂ

☆ = (❄ / 🌼 / ✿)   ★ = (🌿 / ☀ / ⚙) → 김구의 소원인 ☆★은 [　] [　]

「백범 김구」에서 김구가 한 일을 떠올리며 『백범일지』에 실린 「나의 소원」의 일부분을 읽고 **역사적으로 유명한 말**을 알아보며 **김구의 소원**을 찾아 써 봅니다.

6단계-Ⓐ • **035**

5일

생활 속 독해

방학 과제 안내

공부한 날　　　월　　　일

을 자세히 살피며 글을 읽어라!

어떤 일을 하는 방법이나 구체적인 내용을 안내하는 글을 읽을 때에는

특히 주의 사항을 자세히 살펴봐야 해요.

그래야 일을 바르게 잘 해낼 수 있어요.

어떤 주의 사항이 있는지 살펴보며 「방학 과제 안내」를 읽어 보아요.

똑똑한 하루 독해 미리 보기

● 오늘 공부할 글의 그림을 미리 보고, 빈칸에 알맞은 낱말을 보기 에서 각각 찾아 쓰세요.

보기

심사   선택   공휴일   제출일

1주
5일

❶

자세하게 조사하여 등급이나 붙고 떨어짐 따위를 결정함.
예 필수 과제를 하지 않았으면 방학 과제물 ○○ 기준에서 제외됩니다.

❷

여럿 가운데서 필요한 것을 골라 뽑음.
예 ○○ 과제는 교과 활동, 예술 활동, 체육 활동에서 각 한 개씩 합니다.

❸

문서나 장부, 의견 따위를 내는 날.
예 방학 과제 ○○○을 꼭 지켜야 합니다.

방학 과제를 어떻게 하라고?

방학에 대해 알아보기

스스로 독해

방학 과제를 제대로 하려면 어떻게 해야 할까요? 점선 부분을 따라 선을 그으며 읽어 보세요.

방학 과제 안내

천재초등학교 6학년 (   )반 이름 (   )

◎ 방학 과제 제출일: 20○○년 ○○월 ○○일(개학 날)

◎ 방학 과제 주의 사항

• 필수 과제를 하지 않았으면 방학 과제물 심사 기준에서 제외됩니다.

• 선택 과제는 교과 활동, 예술 활동, 체육 활동에서 각 한 개씩 합니다.

• 방학 과제 제출일을 꼭 지켜야 합니다.

필수 과제	1. 일기 쓰기, 책 읽고 독서록 쓰기: 각 8편 이상 2. 한자 쓰기: 천재어린이 한자 5번씩 쓰기(한자 공책 제출) 3. 만들기, 그리기: 각 1개씩 4. 우리 고장의 문화 유적을 찾아보고 견학 보고서 쓰기: 체험학습이 힘들 경우 관련 도서 읽고 독서록 쓰기

선택 과제

영역	과제	선택	내용	제출할 것
교과 활동	국어		국어 교과서에 있는 낱말 뜻 써 오기	공책
	수학		수학 익힘책의 문제 풀어 오기	공책
	사회		역사 만화 그리기 (한 시대, 한 인물 중심)	작품
	과학		식물도감 만들기	보고서
	영어		영어 동요 3개 쓰고 외우기	공책
예술 활동	악기		악기 한 가지씩 연주하기	사진, 동영상
	관람		전시회, 음악회, 연극 등 관람하기	소감문, 입장권
체육 활동	줄넘기		매일 줄넘기하기	횟수, 시간 기록표
	달리기		하루에 운동장 3바퀴씩 달리기	

어휘 풀이

▼ **심사** | 살필 심 審, 사실할 사 査 |　자세하게 조사하여 등급이나 붙고 떨어짐 따위를 결정함. 예 태권도 승급 심사를 받았다.

▼ **제외** | 덜 제 除, 바깥 외 外 |　따로 떼어 내어 한데 헤아리지 않음. 예 내가 싫어하는 과목에서 국어를 제외하였다.

▼ **선택** | 가릴 선 選, 가릴 택 擇 |　여럿 가운데서 필요한 것을 골라 뽑음. 예 언니와 함께 볼 영화를 선택하였다.

▶ 정답 및 해설 12쪽

서술형

1 이 글을 읽고 방학 과제의 두 가지 큰 종류를 구분하여 다음 표에 각각 쓰세요.
이해

방학 과제

(1)   (2)

스스로 독해 해결!

2 이 글의 내용으로 보아, 방학 과제를 제대로 한 친구를 찾아 이름을 쓰세요.
유추

나는 필수 과제 네 개를 하고, 선택 과제로 국어, 수학, 사회를 했어.

나는 필수 과제는 하지 않고, 선택 과제를 모두 다 했어.

나는 필수 과제 네 개를 모두 다 했고, 선택 과제로는 국어, 악기, 줄넘기를 했어.

나는 필수 과제 중에 일기 쓰기와 한자 쓰기를 하고, 선택 과제로는 악기와 줄넘기를 했어.

서희   남우

동현   설영

(   )

힌트
주의 사항에서 안내한 방학 과제를 하는 방법에 맞게 과제를 한 친구를 찾아야 해요.

3 방학 숙제를 잘하기 위한 방법을 정리하여 빈칸에 알맞은 말을 각각 쓰세요.
요약

• ❶ ☐ ☐ 과제는 모두 다 해야 한다.

• 선택 과제는 교과 활동, 예술 활동, ❷ ☐ ☐ 활동에서 각 한 개씩 한다.

• 필수 과제 네 개와 선택 과제 세 개, 총 ❸ ☐ ☐ 개의 과제를 개학 날 꼭 제출
해야 한다.

1   보기 를 보고, 다음 낱말을 소리 나는 대로 각각 바르게 쓰세요.

줄넘기[줄럼끼]

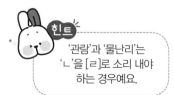

힌트
'관람'과 '물난리'는
'ㄴ'을 [ㄹ]로 소리 내야
하는 경우예요.

(1)

관람[　　　]

(2)

물난리[　　　　]

2   보기 에서 다음 빈칸에 들어갈 낱말을 찾아 쓰세요.

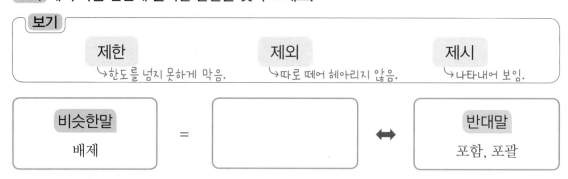

보기
제한
↳한도를 넘지 못하게 막음.

제외
↳따로 떼어 헤아리지 않음.

제시
↳나타내어 보임.

| 비슷한말
배제 | = | | ↔ | 반대말
포함, 포괄 |

3   보기 와 같은 방법으로 다음 낱말들을 각각 바꾸어 쓰세요.

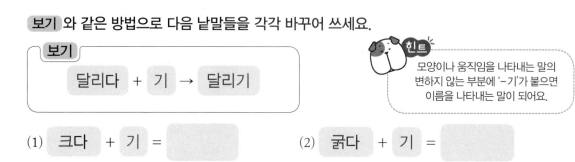

보기
달리다 + 기 → 달리기

힌트
모양이나 움직임을 나타내는 말의
변하지 않는 부분에 '-기'가 붙으면
이름을 나타내는 말이 되어요.

(1) 크다 + 기 = 　　　　

(2) 굵다 + 기 =

● 「방학 과제 안내」에서 다음 선택 과제들을 무엇으로 제출하라고 하였는지, 사다리 타기를 하여 찾아보세요.

| 역사 만화 그리기 | 악기 연주하기 | 전시회 관람하기 | 식물도감 만들기 |

| 보고서 | 소감문, 입장권 | 사진, 동영상 | 작품 |

 「방학 과제 안내」에서 선택 과제를 무엇으로 제출하라고 하였는지 다시 한번 찾아보고, **중요한 내용을 자세히 살피며 글을 읽는 방법**을 익혀 봅니다.

[1~3] 다음 글을 읽고, 물음에 답하세요.

(가) 벌써 ㉠며칠째 소녀는 학교서 돌아오는 길에 ㉡물장난이었다. 그런데 어제까지는 개울 기슭에서 하더니 오늘은 징검다리 ㉢한가운데 앉아서 하고 있다.

소년은 ㉣개울둑에 앉아 버렸다. 소녀가 비키기를 기다리자는 것이다. 요행 지나가는 사람이 있어 소녀가 길을 비켜 주었다.

(나) 소녀는 소년이 개울둑에 앉아 있는 걸 아는지 모르는지 그냥 날쎄게 물만 움켜 낸다. 그러나 번번이 허탕이다. 그래도 재미있는 양, 자꾸 물만 움킨다. 어제처럼 개울을 건너는 사람이 있어야 길을 비킬 모양이다.

그러다가 소녀가 ㉤물속에서 무엇을 하나 집어낸다. 하얀 조약돌이었다. 그리고는 홀쩍 일어나 팔짝팔짝 징검다리를 뛰어 건너간다.

다 건너가더니 홱 이리로 돌아서며,
"이 바보." / 조약돌이 날아왔다.

1 이 글의 배경으로 알맞은 것에 ○표를 하세요.

(1) 나무가 울창한 숲속   (   )

(2) 징검다리가 있는 개울   (   )

(3) 비 내리는 학교 운동장   (   )

2 이 글에 나오는 인물에 대해 **잘못** 말한 친구의 이름을 쓰세요.

> 진효: 소녀는 징검다리에 앉아 소년이 말을 걸어 주기를 바라는 것 같아.
>
> 강재: 소녀는 소년이 가까이 오는 게 싫어서 소년에게 조약돌을 던졌어.

(   )

3 ㉠~㉤ 중 낱말의 짜임이 알맞지 <u>않은</u> 것은 무엇인가요? (   )

① 며칠+째   ② 물+장난   ③ 한+가운데
④ 개+울둑   ⑤ 물+속

[4~5] 다음 글을 읽고, 물음에 답하세요.

대부분의 은행은 1층에 위치하여 외부로 대피하기 쉽게 자리 잡고 있다. 따라서 도난으로부터의 안전에 주된 관심을 두고 은행 문의 여닫는 방향을 결정할 수 있다. 물론 은행의 안전이 단지 문 하나로 해결되는 것은 아니다. 그러나 은행 문이 안쪽으로 열린다면 1초가 아쉬운 상황에서 도둑의 도피 시간을 조금이나마 늦출 수 있을 것이다.

4 은행 문이 열리는 방향은 무엇에 주된 관심을 두고 결정한 것인가요? (   )

① 은행 공간의 활용
② 재난으로부터의 대피
③ 도난으로부터의 안전
④ 은행에 오는 손님들의 편의
⑤ 은행에서 일하는 사람들의 안전

5 이 글의 제목으로 알맞은 것에 ○표를 하세요.

(1) 은행은 몇 층에 있어야 할까?   (   )

(2) 화재가 나면 어떻게 대피할까? (   )

(3) 은행 문은 왜 안쪽으로 열릴까? (   )

▶ 정답 및 해설 12쪽

점수

[6~7] 다음 시를 읽고, 물음에 답하세요.

봄날에 혼자 집을 지키다가
㉠엄마 아빠 결혼식 사진을 들여다본다
사진 위로 키 작은 ㉡개미 한 마리 기어가고
엄마 아빠는 간지럼을 타며
팔짱을 끼고 서 있다
나는 슬쩍 팔짱을 풀고
그들 한가운데로 비집고
들어가 본다
㉢신랑 신부가 내 손을 잡는다

6 ㉠~㉢ 중 '나'가 상상한 것의 기호를 쓰세요.

( )

7 이 시에서 시인이 전하고자 하는 생각은 무엇인지 알맞은 말을 골라 ○표를 하세요.

• 엄마 아빠의 (1) (마음속 , 결혼식 사진)에 들어가고 싶어 하는 아이의 상상이 (2) (순수하다 , 조마조마하다).

[8~9] 다음 글을 읽고, 물음에 답하세요.

'온 민족이 들고일어났으니 이제 ㉠정부를 만들어 좀 더 ㉡조직적인 독립운동을 해야 해. 일본의 감시가 덜한 중국의 상하이로 건너가 활동해야겠다.'
김구는 장사꾼으로 ㉢변장하여 일본의 눈을 피해 무사히 상하이로 ㉣망명하였다.
김구는 그곳에서 뜻이 맞는 독립운동가들을 만나 대한민국 ㉤임시 정부를 세웠다.

8 김구가 대한민국 임시 정부를 세운 곳은 어디인지 이 글에서 찾아 쓰세요.

• 김구는 독립운동가들과 ☐☐☐ 에 대한민국 임시 정부를 세웠다.

9 ㉠~㉤ 중 다음과 같은 뜻의 낱말은 무엇인가요? ( )

일이나 행동 따위에 체계가 짜여 있는 것.

① ㉠   ② ㉡   ③ ㉢
④ ㉣   ⑤ ㉤

10 다음 글을 읽고, 방학 과제를 제대로 하는 방법을 **잘못** 말한 친구에게 ✕표를 하세요.

◎ 방학 과제 제출일: 20○○년 ○○월 ○○일(개학 날)
◎ 방학 과제 주의 사항
• 필수 과제를 하지 않았으면 방학 과제물 심사 기준에서 제외됩니다.
• 선택 과제는 교과 활동, 예술 활동, 체육 활동에서 각 한 개씩 합니다.
• 방학 과제 제출일을 꼭 지켜야 합니다.

(1) 현우: 필수 과제는 다 해야 해. ( )

(2) 경원: 선택 과제는 교과 활동, 예술 활동, 체육 활동 중 한 개만 하면 돼. ( )

(3) 민철: 개학 날 방학 과제를 꼭 제출해야 해.
( )

창의

1 다음 만화를 읽고, 1주차에서 배운 낱말을 떠올려 어휘 퀴즈에 알맞은 낱말을 빈칸에 각각 쓰세요.

▶ 정답 및 해설 13쪽

1주
특강

🐻 어휘 퀴즈

❶ '받아들이지 않고 물리쳐 제외함.'을 뜻하는 말은? →

❷ '어떤 일을 시도했다가 아무 소득이 없이 일을 끝냄.'을 뜻하는 말은? →

❸ '영준이는 거짓말을 자주 해서 친구들 사이에 ○○이 없다.'의 빈칸에 들어갈 알맞은 말은?

→

코딩

2 소년과 소녀가 마을 뒷산에 놀러 가는데 갑자기 소나기가 내려요. 수숫단 속에서 비를 피할 수 있도록 코딩 카드의 빈칸에 알맞은 숫자를 쓰세요.

❶ ↑ 　1 칸　　❷ → 　　칸　　❸ ↑ 　　칸　　❹ → 　1 칸　　❺ ↑ 　　칸

융합 3

백범 김구가 세운 임시 정부 근처에서 일본 사람이 독립운동가들을 감시하고 있어요. 역사 퀴즈를 풀어 빈칸에 들어갈 글자를 모두 합하면 그 사람이 누구인지 알 수 있어요. 그림에서 변장한 일본 사람을 찾아 누구인지 쓰세요.

신발 장수
할아버지
과일 장수
인력거꾼
모자 신사

역사 퀴즈

❶ 조선 시대의 장군. 거북선을 만들고 임진왜란 때 바다에서 일본군을 크게 무찔렀다. ➜ 이순○

❷ 고구려가 망한 뒤 대조영이 고구려 유민들과 말갈족을 이끌고 세운 나라. ➜ ○해

❸ 조선 세종 때의 과학자. 측우기, 혼천의, 간의 등을 만들었다. ➜ ○영실

❹ 서울에 있는 조선 시대 궁궐의 하나. 일제가 이곳을 포위한 상태에서 을사늑약이 체결되었다.

➜ 덕○궁

독립운동가들을 감시하려고 변장한 일본 사람은 ＿＿＿＿＿＿＿ 예요.

창의

4 광고를 보고 알맞은 말에 각각 ○표를 하세요.

생활 어휘

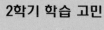

2학기 학습 고민

밀크T로 정조준!

체계적 관리 시스템

세 분의 전문 선생님의
밀착 집중 관리로 학습 걱정 끝!!

교과목 완벽 연계

천재교과서가 만든 밀크T는 전과목
완벽 연계로 예습, 복습이 가능해요!!

멀티미디어 학습까지 OK

게임으로 코딩의 원리를 깨닫고
스토리텔링으로 역사를 재미있게 학습해요!!

이건 우리 공부를
도와주는 밀크T
광고야.

정조준? 정씨
성을 가진 사람
이름인가?

애들아, 정조준은 목표물을 향해 (1) (정확히 , 대강) 조준했다는 뜻으로, 밀크T가 학습 고민을 정확히 해결해 준다는 거야. 전문 선생님이 빈틈없이 단단히 (2) (붙어 , 떨어져) 짜임새 있게 관리해 주신대. 교과목과도 완벽하게 관계를 (3) (맺고 , 풀고) 있어 참 좋겠다. 그럼 애들아, 밀크T로 성적 향상 정조준! 힘내!

어휘 풀이

▼ **정조준** |바를 정 正, 비출 조 照, 법도 준 準| 정확하고 정밀한 조준. ㉞ 이순신은 적의 배를 향해 정조준하고 포를 쏘았다.

▼ **체계적** |몸 체 體, 이을 계 系, 과녁 적 的| 일정한 원리에 따라서 낱낱의 부분이 짜임새 있게 조직되어 통일된 전체를 이루는. ㉞ 발표에 필요한 자료를 체계적 방법으로 정리하였다.

▼ **밀착** |빽빽할 밀 密, 붙을 착 着| 빈틈없이 단단히 붙음. ㉞ 기자는 사건을 밀착 취재하였다.

▼ **연계** |잇닿을 연 連, 맬 계 繫| 어떤 일이나 사람과 관련하여 관계를 맺음. 또는 그 관계.
㉞ 이 독해책은 국어와 다른 과목을 함께 연계해 공부할 수 있어 좋다.

창의 5
생활 한자

初(처음 초) 자에 대해 알아보고, 다음 물음에 답하세요.

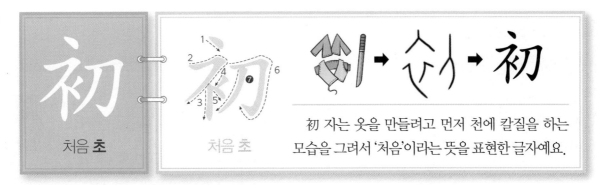

처음 초

初 자는 옷을 만들려고 먼저 천에 칼질을 하는 모습을 그려서 '처음'이라는 뜻을 표현한 글자예요.

(1) 初 자가 들어간 낱말을 알아보고, 한자의 음을 쓰세요.

① 이 책은 <u>初等</u> 교과서 글뿐만 아니라 생활 속 글도 담고 있어서 재미있다.

 등

힌트
14쪽에서 공부한 '초시'에 쓰인 初(처음 초) 자에 대해 알아봐요.

② 삼촌은 아직 <u>初步</u> 운전이어서 운전할 때마다 긴장을 하신다.

 보

(2) 한자 성어의 뜻을 알아보고, 빈칸에 알맞은 한자를 쓰세요.

처음 계획대로 꼭 끝까지 다 풀고 말겠어!

初 志 一 貫
처음 초 뜻 지 하나 일 꿸 관

처음에 세운 뜻을 끝까지 밀고 나감.

・ ☐ 志 一 貫 (초지일관)의 자세로 『똑똑한 하루 독해』를 끝까지 다 풀겠다.

1-1 다음 문장의 빈칸에 넣을 바른 낱말을 보기 에서 골라 쓰세요.

보기

회복   회상

지금도 섶에 올린 굵다란 누에를 볼 때마다 내 어릴 적의 철없던 일을 ☐☐하고 혼자 웃는 일이 있다.

☐ ☐

1-2 다음 대화에서 밑줄 그은 낱말을 바르게 고친 것에 ○표를 하세요.

성진: 할머니, 무슨 생각을 그리 하고 계세요?
할머니: 내가 젊었을 때 즐거웠던 일들을 상상하고 있단다.

(1) 공상 (   )   (2) 회상 (   )   (3) 예상 (   )

힌트
'공상'은 실제로 있지 않은 일을, '회상'은 지난 일을, '예상'은 앞으로의 일을 생각하는 것이에요.

증거를 찾았으니 범인은 독 안에 든 쥐입니다. 정의는 승리합니다.

뚝

깔 깔 깔

개그콘

사람이 저렇게 급격하게 달라질 수 있구나.

급하고 격렬한 변화지?

▶ 정답 및 해설 14쪽

2-1 다음 문장의 빈칸에 넣을 바른 낱말을 골라 ◯표를 하세요.

물의 깊이가 [   ] 변하거나 자기 키를 초과하는 곳에서는 물놀이를 하지 않습니다.

(1) 넉넉하게 (   )

(2) 화려하게 (   )

(3) 급격하게 (   )

2-2 다음 일기 예보에서 밑줄 그은 낱말을 바르게 고쳐 쓰세요.

오늘 밤에 기온이 <u>엄격하게</u> 떨어지면서 강추위가 몰아칠 것으로 보입니다.

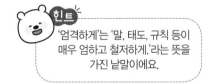

힌트

'엄격하게'는 '말, 태도, 규칙 등이 매우 엄하고 철저하게.'라는 뜻을 가진 낱말이에요.

엄 격 하게 ➡ [ ][ ] 하게

1 일

이야기 (문학)

톰 아저씨의 오두막집

공부한 날 　 월 　 일

이야기를
요약하는 방법
자세히 알아보기

천재 학습 백과

이야기를 요약해라!

요약이란 중요한 것을 골라 짧게 줄여 쓰는 것을 말해요.

이야기를 요약할 때에는 이야기가 벌어지는 시간과 장소에 따라

이야기에 나오는 인물에게 일어난 중요한 사건을 정리해야 해요.

이야기 「톰 아저씨의 오두막집」을 읽고 내용을 요약해 보아요.

● 오늘 공부할 글의 그림을 미리 보고, 빈칸에 알맞은 낱말을 각각 찾아 쓰세요.

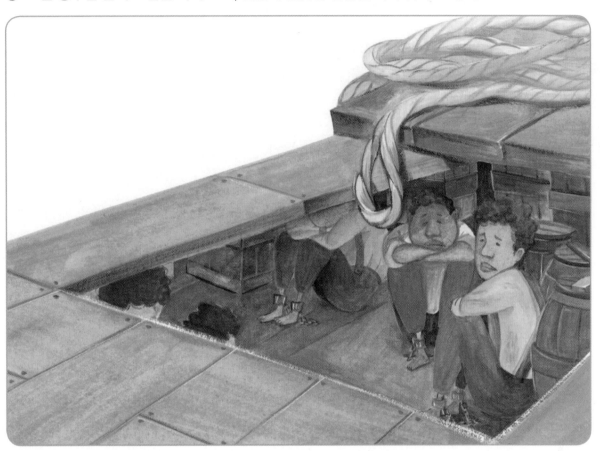

| 노예 | 상인 | 공장 | 농장 |

흑인 ❶ ☐☐ 인 톰은 마음씨 좋은 셸비 씨의 ❷ ☐☐ 에서 일했어요.
→남의 소유물로 되어 부림을 당하는 사람. →농사에 필요한 것을 갖추고 농업을 경영하는 곳.

그런데 셸비 씨의 형편이 나빠지면서 톰은 노예 ❸ ☐☐ 에게 팔려 가게 됐지요.
→장사를 직업으로 하는 사람.

팔려 가는 배에서 만난 에바와의 인연으로 에바네 집에서 그런대로 편안한 생활을 하였

지만, 에바와 에바 아빠의 죽음으로 톰은 또다시 새 주인에게 팔려 갔어요. 앞으로 톰에

게 어떤 일이 일어날까요?

이 이야기와 미국의 남북 전쟁에 대해 알아보기

톰 아저씨의 오두막집

해리엇 비처 스토

스스로 독해

어디에서 누구에게 어떤 일이 일어났나요? 점선 부분을 따라 선을 그으며 읽고 이야기를 요약해 보세요.

톰은 레글리 `농장에서도 약한 이들을 도우며 지냈다.

어느 날, 톰은 루시라는 여자 `노예가 목화 따는 일을 힘들어하는 모습을 보게 되었다. 금방이라도 쓰러질 것 같았다. 그래서 톰은 자기가 딴 목화송이를 한 `움큼 집어 루시의 바구니에 넣어 주었다. 톰의 그런 모습을 눈여겨보던 한 노예가 레글리에게 톰을 괴롭힐 방법을 슬쩍 〔 ㉠ 〕 주었다.

"톰! 넌 감독을 할 몸이야. 그러니 게으름뱅이를 다루는 방법을 배워야 해. 자, 이 채찍으로 루시를 세게 쳐라!"

"못 합니다. 일이라면 어떤 힘든 것이라도 하겠습니다. 그렇지만 그것만은 할 수 없습니다!"

레글리는 자신의 명령을 끝까지 따르지 않는 톰의 태도에 몹시 화가 나서 톰에게 채찍질하기 시작했다.

"나는 네 주인이야! 1,200달러나 주고 노예 `상인에게 너를 샀단 말이다! 너는 내가 움직이라고 하면 움직이고, 생각하는 것도 내가 허락할 때만 해야 해! 알았어?"

어휘 풀이

▼ **농장**|농사 농 農, 마당 장 場| 농사지을 땅과 농기구, 가축, 노동력 따위를 갖추고 농업을 경영하는 곳.

▼ **노예**|종 노 奴, 종 예 隸| 남의 소유물로 되어 부림을 당하는 사람.
예 링컨은 노예 제도를 반대했다.

▼ **움큼** 손으로 한 줌 움켜쥘 만한 분량을 세는 말. 예 아이가 모래를 한 움큼 집었다.

▼ **상인**|장사 상 商, 사람 인 人| 장사를 직업으로 하는 사람. 예 그는 골동품 상인이다.

▲ 농장

1
어휘

낱말의 뜻을 잘 읽고 　⑦　 안에 들어갈 낱말을 바르게 쓴 것에 ○표를 하세요.

> 상대편이 눈치로 알아차릴 수 있도록 미리 슬그머니 일깨워 주어.

(귀뜸해 , 귀띔해 , 귀띰해)

2
이해

서술형

레글리가 화가 나서 톰에게 채찍질한 까닭은 무엇인지 쓰세요.

톰이 _____
따르지 않았기 때문이다.

3
유추

이 글의 내용을 통해 짐작할 수 있는 당시의 시대 상황으로 알맞은 것을 두 가지 고르세요. (　　　　)

① 흑인 노예를 사고팔 수 있었다.
② 흑인 노예가 주인을 많이 무시했다.
③ 주인이 흑인 노예를 때리기도 했다.
④ 흑인 노예는 일을 열심히 하지 않았다.
⑤ 흑인 노예에게 일을 시키는 것은 불법이었다.

힌트
레글리가 톰에게 한 말과 행동을 통해 당시의 시대 상황을 짐작할 수 있어요.

4
요약

스스로 독해 해결!

이 글에서 어디에서 누구에게 어떤 일이 일어났는지 요약하여 빈칸에 알맞은 말을 각각 쓰세요.

> 　레글리 농장에서 일하던 ❶　　　은 목화 따는 일을 힘들어하는 루시라는 여자 노예를 도와주었다. 주인 레글리는 톰에게 채찍으로 루시를 세게 치라고 명령했다. 하지만 톰은 그 ❷　　　　을 따르지 않았고 레글리는 톰의 태도에 화가 나서 톰에게 ❸　　　　　했다.

1 빈칸에 알맞은 말을 [보기]에서 각각 찾아 쓰세요.

[보기]

움큼 손으로 한 줌 움켜쥘 만한 분량을 세는 말.

아름 두 팔을 둥글게 모아 만든 둘레 안에 들 만한 분량을 세는 말.

(1) 엄마께서 꽃을 한 [   ] 사 오셨다.

(2) 톰은 자기가 딴 목화송이를 한 [   ] 집어 루시의
바구니에 넣어 주었다.

> 힌트
> '움큼'과 '아름'의 낱말 뜻을 잘 읽고,
> 자신의 손과 팔을 이용하여 얼마만큼의
> 분량을 나타내는지 가늠해 보세요.

2 낱말이 어떻게 만들어졌는지 살펴보고 빈칸에 알맞은 낱말을 각각 쓰세요.

-뱅이 '그것을 특성으로 가진 사람이나 사물'의 뜻을 더하는 말.
　예 느림 + **-뱅이** ➡ **느림뱅이** : 행동이 느리거나 게으른 사람.

(1) 가난 + **-뱅이** ➡ [   ] : 가난한 사람.

(2) 게으름 + **-뱅이** ➡ [   ] : 게으른 사람.

● 여자 노예가 레글리의 농장에서 탈출하려고 해요. 낱말과 그 뜻이 알맞게 짝 지어진 푯말을 따라 가면 탈출에 성공할 수 있대요. 어떤 길로 탈출해야 할지 선을 그어 보세요.

 이야기 「톰 아저씨의 오두막집」의 내용을 떠올려 보고 여자 노예가 무사히 탈출할 수 있도록 길을 찾아 표시하며 이야기에 나온 **낱말의 정확한 뜻**을 다시 한번 익혀 봅니다.

수학에서 축구공은 구일까?

공부한 날   월   일

새로 알게 된 내용을 정리해라!

글의 종류에 따라 글을 읽는 방법이 달라요. 설명하는 글은 지식이나 정보를

사실대로 전달하는 글이에요. 따라서 설명하는 글을 읽을 때에는

설명하고자 하는 대상과 내용이 무엇인지 생각하며 새로 알게 된 내용을 정리해야 해요.

「수학에서 축구공은 구일까?」를 읽고 새로 알게 된 내용을 정리해 봐요.

● 오늘 공부할 글과 사진을 미리 보고, 알맞은 낱말을 각각 찾아 표시하세요.

2주
2일

　　도형의 성질을 이용해서 만든 축구공은 1970년 멕시코 월드컵 때 첫선을 보였는데, 전 세계의 축구 선수와 축구 팬은 이 공에 열광했어요. 이 공은 무척 부드럽고 탄력이 뛰어났기 때문이에요.

1 '처음 세상에 내놓음.'이라는 뜻의 낱말을 찾아 ○표를 하세요.

2 '너무 기쁘거나 흥분하여 미친 듯이 날뜀.'이라는 뜻의 낱말을 찾아 △표를 하세요.

3 '외부의 힘에 의해 부피와 모양이 바뀌었던 물체가 본래의 형태로 돌아가려는 힘.'이라는 뜻의 낱말을 찾아 □표를 하세요.

구의 전개도에
대해 알아보기

수학에서 축구공은 구일까?

스스로 독해

이 글을 읽고 새로 알게
된 내용은 무엇인가요?
점선 부분을 따라 선을
그으며 읽고 새로 알게
된 내용을 정리해 보세
요.

축구공은 거의 완벽한 구의 형태를 띠고 있지만 정확히 수학에서 말하는 구는 아니에요. 수학에서 구는 한 점에서 같은 거리에 있는 모든 점으로 이루어진 입체를 말해요. 그런데 축구공을 자세히 들여다보면 여러 개의 정오각형 조각과 정육각형 조각으로 이루어져 있는 것을 알 수 있어요. 축구공은 왜 이런 모양으로 만들어졌을까요?

공은 둥근 구 모양이어야 잘 굴러가고, 또 아무 데나 마음껏 찰 수 있어요. 하지만 편평한 가죽으로 완벽한 구 모양을 만드는 것은 쉽지 않은 일이지요.

수학자들은 열심히 연구한 끝에, 마침내 12개의 정오각형과 20개의 정육각형을 이어 붙이면 구의 형태에 가장 가깝게 공을 만들 수 있다는 것을 알아냈어요.

이렇게 도형의 성질을 이용해서 만든 축구공은 1970년 멕시코 월드컵 때 첫선을 보였는데, 전 세계의 축구 선수와 축구 팬은 이 공에 열광했어요. 이 공은 무척 부드럽고 탄력이 뛰어났기 때문이에요.

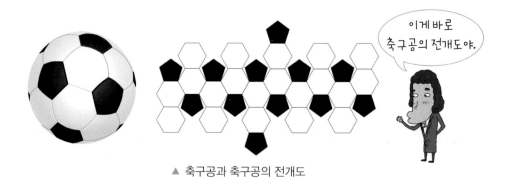

이게 바로
축구공의 전개도야.

▲ 축구공과 축구공의 전개도

어휘 풀이

▼ **입체**|설 입 立, 몸 체 體| 여러 개의 평면이나 곡면으로 둘러싸여 부피를 가지는 물체. ⑩ 구는 입체 도형이다.

▼ **편평**|작을 편 扁, 평평할 평 平|**한** 넓고 평평한. ⑩ 산 너머에는 편평한 들판이 있다.

▼ **첫선** 처음 세상에 내놓음. ⑩ 이 상품은 첫선을 보이자마자 인기를 끌었다.

▼ **열광**|더울 열 熱, 미칠 광 狂| 너무 기쁘거나 흥분하여 미친 듯이 날뜀. 또는 그런 상태.
⑩ 이번 공연은 열광의 도가니였다.

▼ **탄력**|탄알 탄 彈, 힘 력 力| 외부의 힘에 의해 부피와 모양이 바뀌었던 물체가 본래의 형태로 돌아가려는 힘.
⑩ 고무줄은 탄력이 세다.

▶ 정답 및 해설 15쪽

1

어휘

다음 낱말들을 모두 포함하는 낱말은 무엇인가요? (   )

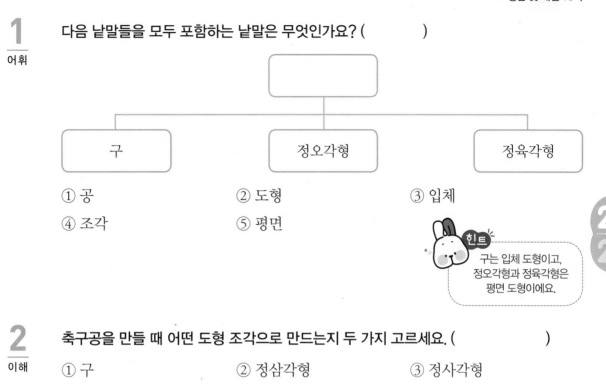

① 공   ② 도형   ③ 입체
④ 조각   ⑤ 평면

> 힌트
> 구는 입체 도형이고,
> 정오각형과 정육각형은
> 평면 도형이에요.

2주
2일

2

이해

축구공을 만들 때 어떤 도형 조각으로 만드는지 두 가지 고르세요. (   )

① 구   ② 정삼각형   ③ 정사각형
④ 정오각형   ⑤ 정육각형

3

이해

서술형

전 세계의 축구 선수와 축구 팬이 도형의 성질을 이용해서 만든 축구공에 열광한 까닭은
무엇인지 쓰세요.

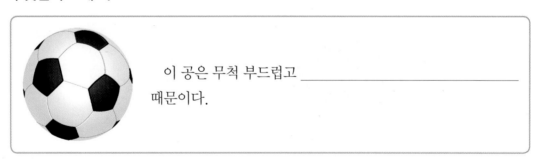

이 공은 무척 부드럽고 _____
때문이다.

4

요약

스스로 독해 해결!

이 글을 읽고 새로 알게 된 내용을 정리하여 빈칸에 알맞은 말을 각각 쓰세요.

축구공은 수학에서 말하는 ❶ ☐ 는 아니다. 12개의 ❷ ☐☐☐☐

과 20개의 정육각형을 이어 붙여 구의 형태에 가장 가깝게 ❸ ☐☐☐ 을 만

들었다.

1 다음 설명을 잘 읽고 문장에 알맞은 낱말에 각각 ○표를 하세요.

> 띠다   '어떤 빛깔, 색채, 성질 등을 가지다'라는 뜻을 나타냄.
>
> 띄다   '뜨이다'를 줄인 말로, '눈에 보이다', '남보다 훨씬 두드러지다'의 뜻을 나타냄.

(1) 방학 동안 현솔이의 축구 실력이 눈에 (띠게 , 띄게) 늘었다.

(2) 축구공은 거의 완벽한 구의 형태를 (띠고 , 띄고) 있지만 수학에서 말하는 구는 아니다.

2 빈칸에 알맞은 낱말을 보기 에서 각각 찾아 쓰세요.

> **보기**
>
> 구   한 점에서 같은 거리에 있는 모든 점으로 이루어진 입체.
>
> 오각형   다섯 개의 선분으로 둘러싸인 평면 도형.
>
> 육각형   여섯 개의 선분으로 둘러싸인 평면 도형.

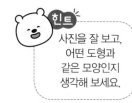
힌트   사진을 잘 보고, 어떤 도형과 같은 모양인지 생각해 보세요.

(1) 지구는 둥글지만 완전한   가 아니다.

(2) 이 장난감은   12개를 이어 붙여 만들었다.

(3) 벌집이   인 까닭은 빈틈없이 많은 꿀을 보관하기 위해서이다.

● 다음 만화를 보고, 야구공의 가죽을 펴면 어떤 모양일지 알맞은 말에 ○표를 하세요.

 야구공의 가죽을 펴면 (원 , 8자) 모양이에요.

「수학에서 축구공은 구일까?」의 내용을 떠올려 보고 **야구공을 만드는 방법**과 **야구공의 가죽을 펴면 어떤 모양**이 나오는지 알아봅니다.

누에와 천재

공부한 날   월   일

수필에 대해
자세히 알아보기

천재 학습 백과

글쓴이가 추구하는 가치를 파악해라!

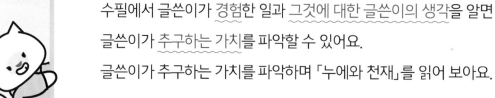

수필에서 글쓴이가 경험한 일과 그것에 대한 글쓴이의 생각을 알면
글쓴이가 추구하는 가치를 파악할 수 있어요.
글쓴이가 추구하는 가치를 파악하며 「누에와 천재」를 읽어 보아요.

● 오늘 공부할 글의 그림을 미리 보고, 빈칸에 알맞은 낱말을 각각 찾아 쓰세요.

| 섶 | 통 | 비상 | 이상 | 철났던 | 철없던 |

❶ [　][　][　]　어린 시절, 글쓴이는 누에가 비단실을 뽑는 모습을 보고 누에의
→바른 생각이나 판단을 할 줄 아는 힘이나 능력이 없던.

재주를 부러워했어요. 외숙모는 누에를 먹으면 누에처럼 ❷ [　][　] 한 재주가 생긴
→평범하지 않고 뛰어남.

다는 이야기를 들려줘요. 결국 글쓴이는 ❸ [　] 을 뒤져 누에 다섯 마리를 골라 산 채
→누에가 올라 고치를 짓게 하려고 차려 주는 물건.

로 삼키지요. 글쓴이에게 비상한 재주가 생겼을까요?

누에와 천재

유달영

누에에 대해 알아보기

스스로 독해

글쓴이가 추구하는 가치는 무엇일까요? 점선 부분을 따라 선을 그으며 읽고 글쓴이가 추구하는 가치를 파악해 보세요.

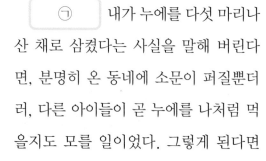

⊙ 내가 누에를 다섯 마리나 산 채로 삼켰다는 사실을 말해 버린다면, 분명히 온 동네에 소문이 퍼질뿐더러, 다른 아이들이 곧 누에를 나처럼 먹을지도 모를 일이었다. 그렇게 된다면 나의 '비상한 재주'는 아무런 보람이 없어질 것이 아닌가? 그날 나는 속이 느글거려서 저녁은 몇 술 못 뜨고 말았다.

그런데 웬일인지 이렇게 힘들여서 먹은 누에의 효과는 도무지 나타나지를 않았다. '며칠 후부터는 비상한 재주가 나올는지 모르지, 아니 몇 달 후부터는 비상한 재주가 나올는지 모르지.' 하고 끈덕지게 기다려 보았으나 전에 없던 재주가 솟아나는 것 같지도 않고, 숙제도 꼬박꼬박 힘들여 해 가야 했다. 꾸준한 노력을 전과 똑같이 계속해 가야 했다.

지금도 섶에 올린 굵다란 누에를 볼 때마다 내 어릴 적의 철없던 일을 회상하고 혼자 웃는 일이 있다. 그리고 이런 생각을 해 본다. 만일 그 다섯 마리의 누에가 내 배 속에 들어가서 그들의 비상한 재주를 정말로 내게 주어서 내가 비상한 재주꾼이 되었다고 가정해 보자. 나는 필연코 지금쯤은 그 재주를 믿고서 교만하고 게을러져서 어떤 어둡고 슬픈 골짜기 속에 떨어져 헤매고 있을는지도 모른다.

어휘 풀이

▼ **비상**|아닐 비 非, 항상 상 常| 평범하지 않고 뛰어남. ㉡ 채민이는 그림 솜씨가 비상했다.

▼ **느글거려서** 먹은 것이 내려가지 않아 곧 토할 듯이 속이 자꾸 메스껍고 느끼해져서. ㉡ 속이 느글거려서 밥을 굶었다.

▼ **섶** 누에가 올라 고치를 짓게 하려고 차려 주는 물건.

▼ **철없던** 일의 이치나 세상 물정에 대해 바른 생각이나 판단을 할 줄 아는 힘이나 능력이 없던.
㉡ 어린 시절 철없던 나는 종종 학교 가기 싫다고 떼를 쓰고는 했다.

▼ **회상**|돌아올 회 回, 생각 상 想| 지난 일을 돌이켜 생각함. 또는 그런 생각.
㉡ 다솔이는 창밖을 보며 회상에 잠겼다.

▼ **교만**|교만할 교 驕, 게으를 만 慢| 잘난 체하며 뽐내고 건방짐. ㉡ 교만하게 굴면 안 된다.

▲ 섶

2주
3일

1
문법

ㄱ 안에 들어갈 낱말로 알맞은 것은 무엇인가요? (   )

① 만일   ② 비록   ③ 결코
④ 전혀   ⑤ 반드시

2
이해

서술형

글쓴이가 비상한 재주를 갖고 싶어서 한 일은 무엇인지 쓰세요.

_____

산 채로 삼켰다.

3
유추

스스로 독해 해결!

글쓴이가 추구하는 가치와 관련 있는 말을 두 가지 고르세요. (   )

① 겸손   ② 명예   ③ 희생
④ 꾸준한 노력   ⑤ 생명의 소중함

힌트
글쓴이는 비상한 재주보다 '교만'이나 '게으름'과 반대되는 가치를 더 중요하게 생각하고 추구해요.

4
요약

'내'가 경험한 일과 그것에 대한 '나'의 생각을 정리하여 빈칸에 알맞은 말을 각각 쓰세요.

어릴 적 '나'는 비상한 재주를 갖고 싶어서 힘들여서 ❶ ☐☐ 를 산 채로 먹었지만 비상한 ❷ ☐☐ 는 생기지 않았다. 지금 '나'는 만일 비상한 재주가 생겼다면 ❸ ☐☐ 하고 게을러져서 어둡고 슬픈 삶을 살았을 것이라고 생각한다.

▶ 정답 및 해설 16쪽

1 다음 보기 와 같이 밑줄 그은 말과 어울리는 말에 각각 ○표를 하세요.

보기

　만일 내가 누에를 다섯 마리나 산 채로 삼켰다는 사실을 말해 (버리고 ,(버린다면)), 분명히 온 동네에 소문이 퍼질뿐더러, 다른 아이들이 곧 누에를 나처럼 먹을지도 모를 일이었다.

(1) 구름이 (마치 , 만약) 솜사탕 <u>같다</u>.

(2) 내가 만약 (백설 공주라면 , 백설 공주이고) 사과를 먹지 않을 것이다.

(3) 곰은 힘들어도 결코 (포기하고 , 포기하지 않고) 견뎌 사람이 되었다.

> **힌트**
> '마치 ～처럼(같다)', '만약 ～이면(라면)', '결코 ～지 않다' 등 앞에 어떤 말이 오고 짝인 말이 뒤따라오는 것을 호응이라고 해요.

2 다음 문장에서 밑줄 그은 낱말과 비슷한말을 보기 에서 각각 찾아 쓰세요.

보기

비범한　　　평범한　　　겸손하고　　　오만하고

(1) 그렇게 된다면 나의 '<u>비상한</u> 재주'는 아무런 보람이 없어질 것이 아닌가?

(2) 나는 필연코 지금쯤은 그 재주를 믿고서 <u>교만하고</u> 게을러져서 어떤 어둡고 슬픈 골짜기 속에 떨어져 헤매고 있을는지도 모른다.

● 「누에와 천재」에서 글쓴이는 누에가 실 뽑는 것을 보고 비상한 재주라며 부러워하였어요. 다음 누에의 한살이를 보고 빈칸에 알맞은 말을 네 글자로 쓰세요.

 　　　　　　는 누에의 애벌레가 번데기로 변할 때 실을 토하여 몸 둘레에 만든 집이에요. 비단을 짜는 명주실을 이것에서 얻지요.

 「누에와 천재」의 내용을 떠올려 보고 **누에의 한살이**를 살펴보며 **비단을 짜는 명주실**을 어디에서 얻을 수 있는지 알아봅니다.

사회 (비문학)

노예 제도는 사라졌지만

공부한 날　　　월　　　일

연설에 대해
자세히 알아보기

천재 학습 백과

연설에서 말하는 사람의 의도를 파악해라!

연설을 듣거나 연설하는 글을 읽을 때에는 말하는 사람이

전하려는 주장이나 의견이 무엇인지 알아야 말하는 사람의

의도를 파악할 수 있어요. 연설을 하는 마틴 루서 킹의 의도를 파악하며

「노예 제도는 사라졌지만」을 읽어 보아요.

● 오늘 공부할 글과 그림을 미리 보고, 알맞은 낱말을 각각 찾아 표시하세요.

> 나에게는 꿈이 있습니다. …… 이글거리는 불의와 억압이 존재하는 미시시피주가 자유와 정의의 오아시스가 되는 꿈입니다. 내 아이들이 피부색을 기준으로 사람을 평가하지 않고, 인격을 기준으로 사람을 평가하는 나라에서 살게 되는 꿈입니다.

1 '사람의 도리나 정의 따위에 어긋나 옳지 않음.'이라는 뜻의 낱말을 찾아 ○표를 하세요.

2 '자기의 뜻대로 자유로이 행동하지 못하도록 억지로 억누름.'이라는 뜻의 낱말을 찾아 △표를 하세요.

3 '사람으로서의 품격.'이라는 뜻의 낱말을 찾아 □표를 하세요.

노예 제도는 사라졌지만

스스로 독해

마틴 루서 킹이 연설을 한 의도는 무엇일까요? 점선 부분을 따라 선을 그으며 읽고 답을 생각 해 보세요.

미국의 노예 제도는 1865년에 ▼폐지되었고, 그때부터 400만 명에 이르는 흑인들이 노예 신분에서 ▼해방되었다. 그러나 흑인들에 대한 차별은 전혀 달라지지 않아서 흑인들의 생활은 여전히 노예 시절과 다름없었다.

이런 이유로 노예 해방 이후, 흑인들은 자신들의 진정한 권리를 찾기 위한 노력을 꾸준히 해 왔다. 그중 가장 대표적인 사람이 마틴 루서 킹이다.

"나에게는 꿈이 있습니다. 조지아주의 붉은 언덕에서 노예들의 후손과 노예 주인의 후손이 형제처럼 손을 맞잡고 나란히 앉는 꿈입니다. 이글거리는 ▼불의와 ▼억압이 존재하는 미시시피주가 자유와 정의의 오아시스가 되는 꿈입니다. 내 아이들이 피부색을 기준으로 사람을 평가하지 않고, ▼인격을 기준으로 사람을 평가하는 나라에서 살게 되는 꿈입니다. 지금도 지독한 인종 차별주의자들과 주지사가 간섭이니 무효니 하는 말을 떠벌리고 있는 앨라배마주에서 흑인 어린이들이 백인 어린이들과 형제자매처럼 손을 마주 잡을 수 있는 날이 올 것이라는 꿈입니다."

▲ 마틴 루서 킹

– 1963년, 링컨 기념관 앞에서 했던 마틴 루서 킹의 연설 중에서

어휘 풀이

▼ **폐지**|폐할 폐 廢, 그칠 지 止| 실시하여 오던 제도나 법규, 일 따위를 그만두거나 없앰.

예 유익한 프로그램이 폐지되어 안타깝다.

▼ **해방**|풀 해 解, 놓을 방 放| 자유를 억지로 누르는 것으로부터 벗어나게 함.

예 시험이 끝난 후에 해방의 기분을 만끽했다.

▼ **불의**|아닐 불 不, 옳을 의 義| 사람의 도리나 정의 따위에 어긋나 옳지 않음.

예 현솔이는 불의를 보면 못 참는 정의로운 성격이다.

▼ **억압**|누를 억 抑, 누를 압 壓| 자기의 뜻대로 자유로이 행동하지 못하도록 억지로 억누름.

예 우리나라는 광복을 맞아 일제의 억압에서 벗어나 자유를 되찾았다.

▼ **인격**|사람 인 人, 격식 격 格| 사람으로서의 품격. 예 우리 선생님은 인격이 훌륭하시다.

서술형

1
이해

미국에서 노예 제도가 폐지된 후 흑인들의 생활은 어떠했는지 쓰세요.

> 흑인들에 대한 차별은 전혀 달라지지 않아서 흑인들의 생활은 _____
>
> _____

2
표현

자유와 정의가 존재하는 미시시피주를 비유한 말을 글에서 찾아 네 글자로 쓰세요.

• 자유와 정의의 ☐ ☐ ☐ ☐

스스로 독해 해결!

3
유추

마틴 루서 킹이 연설을 한 의도로 알맞은 것은 무엇인가요? (   )

① 어린이들을 사랑하자고 설득하려고
② 노예 제도를 폐지하자고 설득하려고
③ 후손들에게 깨끗한 환경을 물려주자고 설득하려고
④ 흑인들이 차별받지 않는 세상을 만들자고 설득하려고
⑤ 여자들이 차별받지 않는 세상을 만들자고 설득하려고

힌트
노예 제도는 1865년에 폐지되었고, 마틴 루서 킹은 1963년에 연설을 했어요.

4
요약

이 글의 중심 내용을 정리하여 빈칸에 알맞은 말을 각각 쓰세요.

| 원인 | 미국의 ❶ ☐ ☐ 제도는 폐지됐지만 흑인들에 대한 차별은 전혀 달라지지 않았다. |

↓

| 결과 | 마틴 루서 킹은 흑인들의 진정한 권리를 찾기 위한 노력으로 ❷ ☐ ☐ 들이 차별받지 않는 세상이 와야 한다는 내용으로 ❸ ☐ ☐ 을 했다. |

1 '무효'와 '유효'의 뜻과 예를 잘 살펴보고 다음 낱말의 반대말을 각각 쓰세요.

> 무효(없을 **무** 無, 본받을 **효** 效)　보람이나 효과가 없음. ㉄ 그 골은 <u>무효</u>가 됐다.
>
>
>
> 유효(있을 **유** 有, 본받을 **효** 效)　보람이나 효과가 있음. ㉄ 이 법은 아직 <u>유효</u>하다.

(1) 무료: 요금이 없음. ⬄ ☐☐

(2) 무죄: 아무 잘못이나 죄가 없음. ⬄ ☐☐

(3) 무식: 배우지 않은 데다 보고 듣지 못하여 아는 것이 없음. ⬄ ☐☐

(4) 무익하다: 이롭거나 도움이 될 만한 것이 없다. ⬄ ☐☐하다

> **힌트**
> '무효'의 '무(無)' 자는 '없다'라는 뜻을
> 나타내고, '유효'의 '유(有)' 자는
> '있다'라는 뜻을 나타내요.

2 다음 문장에 들어갈 알맞은 낱말을 골라 각각 ◯표를 하세요.

(1) 집을 (깨끗이 , 깨끗히) 청소하고 나서 혼자 (쓸쓸이 , 쓸쓸히) 지내시는 할머니를 찾아뵈었다.

(2) 노예들의 후손과 노예 주인의 후손이 형제처럼 손을 맞잡고 (나란이 , 나란히) 앉는 꿈을 가지고 있다.

>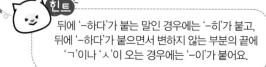
> **힌트**
> 뒤에 '-하다'가 붙는 말인 경우에는 '-히'가 붙고,
> 뒤에 '-하다'가 붙으면서 변하지 않는 부분의 끝에
> 'ㄱ'이나 'ㅅ'이 오는 경우에는 '-이'가 붙어요.

◉ '인종 차별 없는 세상 만들기' 게임을 하고 있어요. 인종 차별을 반대하는 말을 하는 사람을 만나면 에너지가 한 칸 생기고 인종 차별을 찬성하는 말을 하는 사람을 만나면 에너지가 한 칸 줄어들어요. 각 단계마다 에너지가 얼마만큼 있는지 각각 색칠해 보세요.

 「노예 제도는 사라졌지만」의 내용을 떠올려 보고 마틴 루서 킹의 바람대로 **인종 차별이 없는 세상을 위해 어떤 생각을 갖고 어떤 노력을 해야 하는지** 다시 한번 생각해 봅니다.

물놀이할 때 주의 사항

공부한 날   월   일

안내문을 읽을 때에는 그림을 함께 살펴봐라!

안내문은 일상생활에서 어떤 내용을 다른 사람에게 소개하고

알려 주기 위한 글이에요. 이와 같은 안내문을 읽을 때에 그림을 함께

살펴보면 모르는 낱말의 뜻을 짐작할 수 있어요. 그림을 함께 살펴보며

「물놀이할 때 주의 사항」을 읽어 보아요.

▶ 정답 및 해설 18쪽

● 오늘 공부할 글의 그림을 미리 보고, 빈칸에 알맞은 낱말을 보기 에서 각각 찾아 쓰세요.

보기

| 시야 | 중지 | 착용 | 초과 |

2주
5일

❶

옷, 모자, 신발, 액세서리 따위를 입거나, 쓰거나, 신거나 차거나 함.

⑩ 구명조끼를 ○○한 후 물에 들어갑니다.

❷

눈으로 볼 수 있는 범위.

⑩ 물놀이할 때에는 보호자가 확인 가능한 ○○ 안에서 놀도록 합니다.

❸

하던 일을 중도에서 그만둠.

⑩ 몸이 떨리거나 입술이 파래졌을 때에는 물놀이를 ○○하고 물 밖으로 나옵니다.

물놀이 안전
관련 동영상
보기

물놀이할 때 주의 사항

스스로 독해

안내문을 읽다가 모르는 낱말이 나왔을 때에는 어떻게 해야 할까요? [ ] 안의 그림을 함께 살펴보면서 점선 부분을 따라 선을 그으며 읽고 '초과'의 뜻을 짐작해 보아요.

물의 깊이가 급격하게 변하거나 자기 키를 초과하는 곳에서는 물놀이를 하지 않습니다.

물놀이를 하기 전에 준비 운동을 충분히 하고, 보트를 탈 때에는 구명조끼를 착용한 후 물에 들어갑니다.

어린이는 보호자와 함께 물놀이를 하고, 보호자가 확인 가능한 시야 안에서 놀도록 합니다.

물속에서 친구의 발을 잡는 등 위험한 장난을 치지 않고, 물놀이 중에 껌이나 사탕 등을 먹지 않습니다.

몸이 떨리거나 입술이 파래졌을 때, 다리에 쥐가 날 때에는 물놀이를 중지하고 물 밖으로 나옵니다.

사람이 물에 빠지면 직접 구하려 하지 말고 튜브 등 주위 물건을 이용하고, 즉시 119에 신고합니다.

어휘 풀이

▼ **급격**|급할 급 急, 과격할 격 激|**하게** 변화의 움직임 따위가 급하고 격렬하게. 예 과학 기술이 급격하게 발달하고 있다.

▼ **착용**|붙을 착 着, 쓸 용 用| 옷, 모자, 신발, 액세서리 따위를 입거나, 쓰거나, 신거나 차거나 함.
예 차에 타면 안전띠부터 착용해야 한다.

▼ **시야**|볼 시 視, 들 야 野| 눈으로 볼 수 있는 범위. 예 비행기가 점점 시야에서 멀어졌다.

▼ **쥐** 몸의 어느 한 부분이 갑자기 오그라들거나 굳어져서 잠시 그 기능을 하지 못하는 현상.
예 오랜만에 무릎을 꿇고 앉았더니 다리에 쥐가 났다.

▼ **중지**|가운데 중 中, 그칠 지 止| 하던 일을 중도에서 그만둠. 예 핵 실험 중지를 요구했다.

1
어휘

스스로 독해 해결!

이 글을 읽을 때 그림을 함께 살펴보며 '초과'의 뜻을 알맞게 짐작한 사람을 골라 ○표를 하세요.

(1) 그림에서 물의 깊이가 키보다 깊은 걸 보니까 자기 키를 초과하는 곳이란 자기 키를 넘는 곳을 말하는 것 같아.　　(　　)

(2) 자기 키를 초과하는 곳에서 물놀이를 하지 말라는 것을 보니까 자기 키를 초과하는 곳이란 자기 키보다 못 미치는 곳을 말하는 것 같아.　　(　　)

2주
5일

2
이해

보트를 탈 때에는 무엇을 착용하라고 하였나요? (　　)

① 장갑　　　　② 장화　　　　③ 시계
④ 호루라기　　⑤ 구명조끼

힌트
두 번째 그림에서 무엇을 착용하고 있는지 살펴봐요.

3
이해

서술형

사람이 물에 빠지면 어떻게 해야 할지 쓰세요.

> 직접 구하려 하지 말고 튜브 등 _____,
> 즉시 119로 신고한다.

4
요약

이 글의 내용을 정리하여 빈칸에 알맞은 말을 각각 쓰세요.

물놀이할 때 주의 사항	
• ❶ ☐ ☐ 운동 • 구명조끼 착용 • ❷ ☐ ☐ ☐ 와 함께 물놀이를 하고 보호자 시야 안에서 놀기 • 사람이 물에 빠지면 주위 물건을 이용하여 구하고, 즉시 119에 신고하기	• 물의 깊이가 급격하게 변하거나 자기 키를 초과하는 곳에서 놀지 않기 • 몸이 떨리거나 입술이 파래졌을 때, ❸ ☐ 가 날 때에는 물놀이 중지하기 • 물속에서 위험한 장난을 치거나 음식물 먹지 않기

1 빈칸에 알맞은 낱말을 보기 에서 각각 찾아 쓰세요.

> 보기
>
> **시야** 눈으로 볼 수 있는 범위. 예 안경을 썼더니 **시야**가 밝아졌다.
>
> **안중** 관심이나 의식의 범위 내. 예 기준이에게 독서는 <u>안중</u>에도 없었다.

(1) 누나는 친구와 신나게 노느라 넘어져 다친 나는 ☐ ☐ 에도 없었다.

(2) 산 정상에 올랐지만 안개에 ☐ ☐ 가 가려 산 전체 경치가 잘 보이지 않았다.

2 다음 설명을 잘 읽고 'ㄴ'이 'ㄹ'의 앞이나 뒤에 있는 낱말이 어떻게 소리 나는지 알맞은 것에 각각 ◯표를 하세요.

• 'ㄴ'을 [ㄹ]로 소리 내야 하는 경우 예 물놀이 ➡ [물로리]	• 'ㄹ'을 [ㄴ]으로 소리 내야 하는 경우 예 생산량 ➡ [생산냥]

(1) 칼날 ➡ [칸날] , [칼랄]

(2) 관리 ➡ [관니] , [괄리]

(3) 판단력 ➡ [판단녁] , [판달력]

(4) 등산로 ➡ [등산노] , [등살로]

힌트

'칼날'과 '관리'는 'ㄴ'을 [ㄹ]로 소리 내야 하는
경우이고, '판단력'과 '등산로'는
'ㄹ'을 [ㄴ]으로 소리 내야 하는 경우예요.

2주
5일

◉ 물놀이 안전 관련 표지판을 알아볼까요? 표지판과 그 의미를 잘 보고 다음 문장에 알맞은 말을 골라 ◯표를 하세요.

수영 금지　　다이빙 금지　　수상 스키 금지

구명조끼 착용　　깊은 수심 주의　　수심 변화 주의

얕은 수심 주의　　높은 파도 주의　　급류 주의

  이 표지판은 (깊은 수심 주의 , 수심 변화 주의)를 나타내요.

 「물놀이할 때 주의 사항」의 내용을 다시 한번 정리해 보고 **물놀이 안전 관련 표지판과 그 의미**를 익혀 물놀이할 때 지키도록 합니다.

[1~2] 다음 글을 읽고, 물음에 답하세요.

(가) 어느 날, 톰은 루시 라는 여자 노예가 목화 따는 일을 힘들어 하는 모습을 보게 되었다. 금방이라도 쓰러질 것 같았다. 그래

서 톰은 자기가 딴 목화송이를 한 움큼 집어 루시의 바구니에 넣어 주었다.

(나) "톰! 넌 감독을 할 몸이야. 그러니 게으름뱅이를 다루는 방법을 배워야 해. 자, 이 채찍으로 루시를 세게 쳐라!"

"못 합니다. 일이라면 어떤 힘든 것이라도 하겠습니다. 그렇지만 ㉠그것만은 할 수 없습니다!"

레글리는 자신의 명령을 끝까지 따르지 않는 톰의 태도에 몹시 화가 나서 톰에게 채찍질하기 시작했다.

"나는 네 주인이야! 1,200달러나 주고 노예 상인에게 너를 샀단 말이다! 너는 내가 움직이라고 하면 움직이고, 생각하는 것도 내가 허락할 때만 해야 해! 알았어?"

1 이 글에 나타난 시대 상황으로 알맞은 말을 찾아 빈칸에 쓰세요.

• ⬜⬜는 자유롭게 말하고 행동할 수 없었다.

2 ㉠이 뜻하는 것은 무엇인지 알맞은 것에 ○표를 하세요.

(1) 힘든 일을 하는 것 (　　　)

(2) 채찍으로 루시를 세게 치는 것 (　　　)

[3~5] 다음 글을 읽고, 물음에 답하세요.

수학자들은 열심히 연구한 끝에, 마침내 12개의 정오각형과 20개의 정육각형을 이어 붙이면 구의 형태에 가장 가깝게 공을 만들 수 있다는 것을 알아냈어요.

이렇게 ⬜㉠⬜의 성질을 이용해서 만든 축구공은 1970년 멕시코 월드컵 때 첫선을 보였는데, 전 세계의 축구 선수와 축구 팬은 이 공에 열광했어요. 이 공은 무척 부드럽고 탄력이 뛰어났기 때문이에요.

3 친구들이 이 글을 읽고 새로 알게 된 내용을 말했어요. 잘못 말한 친구에게 ×표를 하세요.

(1) 지민: 축구공은 정오각형 12개와 정육각형 20개를 이어 붙여 만들어. (　　　)

(2) 영표: 수학자들은 완벽한 구의 형태로 축구공 만드는 방법을 알아냈어. (　　　)

4 1970년에 첫선을 보인 축구공에 대한 사람들의 반응을 나타낸 말에 ○표를 하세요.

(비난 , 열광 , 외면)

5 ⬜㉠⬜ 안에 들어갈 낱말로 알맞은 것은 무엇인가요? (　　　)

① 열　　　② 공기　　　③ 숫자

④ 소리　　　⑤ 도형

▶ 정답 및 해설 18쪽

6 다음 글에 나타난 글쓴이의 생각과 추구하는 가치로 알맞지 <u>않은</u> 것에 ×표를 하세요.

> 지금도 섶에 올린 굵다란 누에를 볼 때마다 내 어릴 적의 철없던 일을 회상하고 혼자 웃는 일이 있다. 그리고 이런 생각을 해 본다. 만일 그 다섯 마리의 누에가 내 배 속에 들어가서 그들의 비상한 재주를 정말로 내게 주어서 내가 비상한 재주꾼이 되었다고 가정해 보자. 나는 필연코 지금쯤은 그 재주를 믿고서 교만하고 게을러져서 어떤 어둡고 슬픈 골짜기 속에 떨어져 헤매고 있을는지도 모른다.

(1) 비상한 재주가 없어서 슬프다. (　　　)

(2) 비상한 재주보다는 꾸준한 노력이 더 가치 있다. (　　　)

(3) 비상한 재주가 생겼다면 교만하고 게을러졌을 것이다. (　　　)

[7~8] 다음 글을 읽고, 물음에 답하세요.

(가) 노예 해방 이후, 흑인들은 자신들의 진정한 권리를 찾기 위한 노력을 꾸준히 해 왔다. 그중 가장 대표적인 사람이 마틴 루서 킹이다.

(나) "나에게는 ⊙꿈이 있습니다. 조지아주의 붉은 언덕에서 노예들의 후손과 노예 주인의 후손이 형제처럼 손을 맞잡고 나란히 앉는 꿈입니다. 이글거리는 불의와 억압이 존재하는 미시시피주가 자유와 정의의 오아시스가 되는 꿈입니다. 내 아이들이 피부색을 기준으로 사람을 평가하지 않고, 인격을 기준으로 사람을 평가하는 나라에서 살게 되는 꿈입니다."
>   – 마틴 루서 킹의 연설 중에서

7 글 (나)의 연설자가 바라는 세상은 무엇인지 알맞은 말을 골라 ○표를 하세요.

- (1) (흑인들 , 어린이들)이 (2) (일하지, 차별받지) 않는 세상

8 다음 문장에서 밑줄 친 '꿈'이 ⊙과 같은 뜻으로 쓰인 것에 ○표를 하세요.

(1) 어젯밤에 무서운 꿈을 꾸었다. (　　　)

(2) 수아는 의사가 되고 싶은 꿈을 이루었다. (　　　)

[9~10] 다음 글을 읽고, 물음에 답하세요.

> - 물놀이를 하기 전에 준비 운동을 충분히 하고, 보트를 탈 때에는 구명조끼를 ⊙착용한 후 물에 들어갑니다.
>
> - 몸이 떨리거나 입술이 파래졌을 때, 다리에 쥐가 날 때에는 물놀이를 중지하고 물 밖으로 나옵니다.

9 그림을 함께 살펴보며 이 글을 읽을 때 ⊙은 어떤 뜻으로 짐작할 수 있나요? (　　　)

① 벗은　　　② 맡긴　　　③ 입은

④ 접은　　　⑤ 돌려준

10 물놀이를 중지해야 하는 상황으로 알맞은 것을 모두 고르세요. (　　　)

① 몸이 떨릴 때　　② 다리에 쥐가 날 때

③ 해가 뜨거울 때　④ 입술이 파래졌을 때

⑤ 친구와 함께 있을 때

창의

1 다음 만화를 읽고, 2주차에서 배운 낱말을 떠올려 어휘 퀴즈에 알맞은 낱말을 빈칸에 각각 쓰세요.

어휘 퀴즈

1 '일정한 수나 한도 따위를 넘음.'을 뜻하는 말은? →

2 '잘난 체하며 뽐내고 건방짐.'을 뜻하는 말은? →

3 '태양이는 ○○를 보면 참지 못하는 정의로운 성격이다.'의 빈칸에 들어갈 알맞은 말은?
→

코딩

2 물놀이를 할 때 안전하게 보트를 타려면 구명조끼를 입어야 해요. 동아와 아빠가 구명조끼 두 개를 가지고 보트를 타러 가려면 어떤 코딩 명령을 사용해야 할지 알맞은 것에 ○표를 하세요.

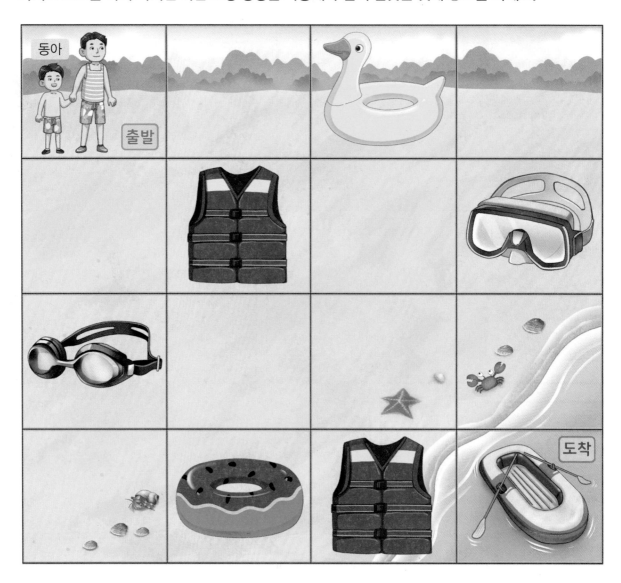

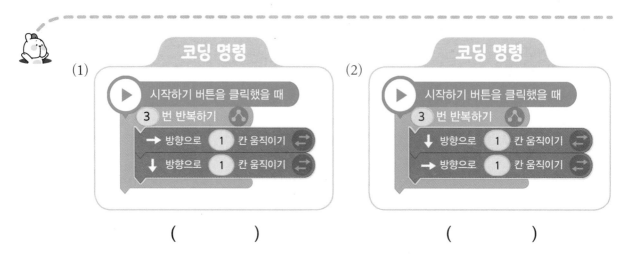

융합

3 존의 생일날, 흑인 어린이와 백인 어린이가 함께 어울려 놀아요. 다음을 보고 존의 엄마께서 빵과 케이크, 쿠키를 만드시는 데 사용한 밀가루의 총량은 얼마인지 쓰세요.

 존의 엄마께서 빵, 케이크, 쿠키를 만드시는 데 사용한 밀가루는 각각 $1\frac{1}{4}$컵+ (1) [   ]컵+

(2) [   ]컵이므로 모두 (3) [   ]컵이에요.

창의

4

생활 어휘

물놀이장 개장 안내문을 보고 알맞은 말에 각각 ○표를 하세요.

이건 야외 물놀이장 안내문이야! 잘 읽어 보고 물놀이 가자!

개장

야외 물놀이장

20○○년 7월 26일~8월 15일
시민체육광장

▷**이용 시간** 10:30~16:20(1일 5회 운영)

▽**편의 시설** 화장실, 휴게 공간, 주차장 등

이용 요금 ○○ 시민 3,500원
▽관외 시민 5,000원

※ 현장 결제만 가능

개장이 무슨 말이지? 관외 시민은 누군데 요금이 더 비싸지?

애들아! '야외 물놀이장 개장'은 야외에 물놀이장을 (1) (열었다 , 닫았다)는 뜻이야. 관외 시민이란 ○○시에 (2) (사는 , 살지 않는) 시민을 뜻하고. 곧 있으면 방학이니까 우리 같이 다녀오자! 우린 ○○시에 사니까 좀 더 싼 요금으로 즐길 수 있어.

어휘 풀이

▽ **개장**|열 개 開, 마당 장 場| 극장이나 시장, 해수욕장 따위의 영업을 시작함. 예 전국의 해수욕장이 모두 개장했다.

▽ **편의**|편할 편 便, 마땅할 의 宜| 형편이나 조건 따위가 편하고 좋음.
예 이용하는 손님의 편의를 위해 지하철 계단마다 에스컬레이터를 설치했다.

▽ **관외**|피리 관 管, 바깥 외 外| 어떤 기관이 맡고 있는 지역의 밖. 예 아버지께서는 관외로 출퇴근을 하신다.

창의
5
생활 한자

立(설 립(입)) 자에 대해 알아보고, 다음 물음에 답하세요.

立

설 립(입)

立

설 립(입)

立 자는 사람이 땅 위에 서 있는 모습을 그려서 '서다', '세우다'라는 뜻을 표현한 글자예요.

(1) 立 자가 들어간 낱말을 알아보고, 한자의 음을 쓰세요.

① 의견 對立이 너무 심해 좀처럼 결론이 나지 않았다.

대

힌트

62쪽에서 공부한 '입체'에 쓰인 立(설 립(입)) 자에 대해 알아봐요. 立 자가 낱말의 맨 앞에 오는 경우에는 '입'으로 소리 나요.

② 죄가 없다는 것을 立證하려면 반드시 목격자를 찾아야 했다.

 증

(2) 한자 성어의 뜻을 알아보고, 빈칸에 알맞은 한자를 쓰세요.

立 身 揚 名
설입 몸신 오를양 이름명

출세하여 이름을 세상에 떨침.

• 그는 과거에 급제하여 身 揚 名 (입신양명)의 꿈을 이루었다.

3주에는 무엇을 공부할까? ❷

1-1 다음 문장의 빈칸에 넣을 바른 낱말을 골라 ○표를 하세요.

만 냥을 들고 안성에 도착한 허생은 장터 구석구석을 다니며 　　　　　되는 물건의 양과 규모를 눈여겨 살폈다.

(1) 왕래 (　　　　　)

(2) 거래 (　　　　　)

(3) 또래 (　　　　　)

> 힌트
> '왕래'는 사람이 서로 오가는 것이고, '거래'는 돈이나 물건을 사고팔거나 주고받는 것이에요.

1-2 다음 신문 기사에서 밑줄 그은 낱말을 바르게 고쳐 쓰세요.

명절을 앞두고 꽃지 마을 농부들이 도시의 소비자와 직접 농산물을 <u>전래하는</u> 인터넷 장터를 열었다.

전 래 하는 ➡ □ □ 하는

▶ 정답 및 해설 20쪽

2-1 다음 문장에 넣을 바른 낱말을 골라 ◯표를 하세요.

메주는 콩을 삶아 찧은 다음 네모나게 (찢어서 , 뭉쳐서) 말린 것으로 간장, 된장, 고추장을 만드는 데 기본 재료가 되지요.

2-2 다음 문장에서 밑줄 그은 낱말을 바르게 고쳐 쓰세요.

아이들이 눈사람을 만들려고 커다랗게 눈을 뭉갰다.

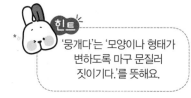

힌트
'뭉개다'는 '모양이나 형태가 변하도록 마구 문질러 짓이기다.'를 뜻해요.

뭉 갰 다 ➡ ☐ ☐ ☐

허생전

공부한 날   월   일

「허생전」에
대하여 자세히
알아보기

천재 학습 백과

이야기에 나타난 시대의 특징을 찾아라!

이야기에서 일이 일어나는 시간과 장소를 배경이라고 해요.

이야기가 일어나는 시간적 배경을 잘 살펴보면 그 시대의 특징을 알 수 있지요.

이야기 「허생전」에 나타난 시대의 특징을 찾아보며

우리가 사는 시대와 비교해 보아요.

● 오늘 공부할 글의 그림을 미리 보고, 빈칸에 알맞은 낱말을 각각 찾아 쓰세요.

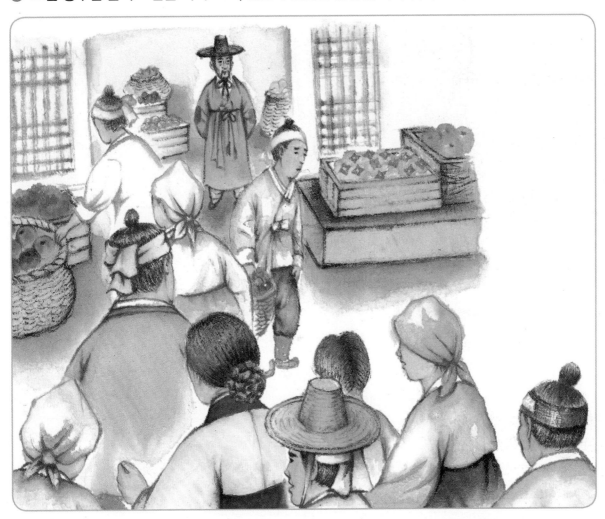

| 도매 | 소매 | 집산지 | 집회장 |

허생은 만 냥을 들고 안성 장터에 왔어요. 이곳은 과일의 ❶ ☐☐☐

└ 생산물이 여러 곳에서 모여들었다가 다시 다른 곳으로 흩어져 나가는 곳.

로 전국의 모든 과일이 팔려 나가는 곳이었지요. 허생은 과일 ❷ ☐☐ 상가에 들

└ 물건을 낱개로 팔지 않고 죄다 한데 묶어서 팖.

어가 과일을 사는 것을 시작으로 결국 나라의 과일을 모두 사들였어요.

허생은 이 일로 큰돈을 벌었지요. 어떻게 그럴 수 있었을까요?

「허생전」의 작가 박지원에 대하여 알아보기

허생전

박지원

스스로 독해

허생이 살던 시대는 지금과 어떻게 다를까요? 점선 부분을 따라 선을 그으며 이야기를 읽고 이 시대의 특징을 생각해 보아요.

만 냥을 들고 안성에 도착한 허생은 장터 구석구석을 다니며 거래되는 물건의 양과 규모를 눈여겨 살폈다. 본래 안성 장터는 경기도와 호남 지방에서 나는 과일의 집산지로 전국의 모든 과일은 안성 땅을 거쳐서 팔려 나가고 있었다.

허생은 제법 커 보이는 과일 도매 상가로 들어가 주인을 찾아 말했다.

"난 한양에서 온 사람인데, 오늘부터 과일이란 과일을 모두 다 사 주시오."

주인 최씨는 눈이 동그래져서 놀란 표정으로 물었다. / "모두 다 말씀입니까?"

"그렇소, 값을 부르는 대로 다 주고 사시오. 만약 과일을 팔지 않는 장사꾼이 있으면 두 배, 세 배를 주고서라도 다 사시오."

다음 날부터 안성 장터는 말 그대로 난리가 났다. 장사꾼들은 제 마음대로 과일값을 불렀고, 이 소문은 전국으로 퍼져 과일 장수들이 안성으로 모여들었다.

허생은 결국 이 나라의 과일을 모두 사들였다. 하지만 허생은 과일을 사들이기만 하고 한 번도 내다 팔지 않았다.

　　⊙　　, 한양에서도 난리가 났다. 나라 안의 과일이란 과일이 모두 바닥나자, 양반들이 잔치를 하거나 제사를 지낼 때 쓸 과일을 구할 수 없었기 때문이다. / 이렇게 되자, 과일 장수들은 도로 허생을 찾아왔다.

"값을 달라는 대로 다 줄 테니까, 과일을 좀 주십시오."

허생이 과일을 판다는 소문이 퍼지자 전국 각지에서 과일을 사려는 장사꾼들이 모여들었다. 가격이 열 배 이상으로 뛰었지만, 한 달도 안 되어 과일이 모두 팔려 나갔고, 허생은 십만 냥을 벌었다.

어휘 풀이

▼ **냥**|두 냥 兩| 예전에, 엽전 백 개를 하나로 묶어 세던 단위.

▼ **집산지**|모을 집 集, 흩을 산 散, 땅 지 地| 생산물이 여러 곳에서 모여들었다가 다시 다른 곳으로 흩어져 나가는 곳. ㉠ 일제 시대 때 군산은 쌀의 집산지였다.

▼ **도매**|도읍 도 都, 팔 매 賣| 물건을 낱개로 팔지 않고 죄다 한데 묶어서 팖.

▲ 엽전

1
문법

다음 내용을 읽고, ⑦ 안에 들어갈 알맞은 말을 찾아 ◯표를 하세요.

어떤 일에 대하여 앞에서 말한 측면과 다른 측면을 말할 때 쓰는 말이야. 보통 화제를 바꿀 때 쓰지.

(한편 , 그래서 , 왜냐하면)

서술형

2
이해

허생이 과일을 모두 사들인 뒤, 한양에서 난리가 난 까닭은 무엇인지 쓰세요.

양반들이 _____
쓸 과일을 구할 수 없었기 때문이다.

스스로 독해 해결!

3
유추

이 글을 통해서 알 수 있는 허생이 살던 시대의 특징은 무엇인가요? (   )

① 양반과 상민이 서로 대화를 할 수 없었다.

② 양반들이 물건을 사는 것이 불가능하였다.

③ 과일값을 장사꾼들이 마음대로 정할 수 없었다.

④ 교통수단이 발달하지 않아서 한양과 안성을 오갈 수 없었다.

⑤ 물건값이 오를 것을 예상하여 한꺼번에 샀다가 팔지 않고 쌓아 두는 것이 가능하였다.

힌트
허생이 한 일과 관련지어 시대의 특징을 파악해 보아요.

4
요약

이 글에서 일어난 일을 순서대로 정리하여 빈칸에 알맞은 말을 각각 쓰세요.

허생이 만 냥을 들고 ❶ ☐ ☐ 장터로 왔다. → 만 냥으로 전국의 과일을 모두 사들인 뒤 내다 팔지 않았다. → 양반들이 과일을 구할 수 없어 난리가 났다. → 과일 장수들이 과일을 달라고 허생을 도로 찾아왔다. → 허생은 과일을 ❷ ☐ 배 이상의 가격으로 되팔아 ❸ ☐ ☐ 냥을 벌었다.

1 다음 낱말과 뜻이 반대인 낱말을 보기 에서 찾아 각각 쓰세요.

보기
착륙   도착   중매   도매

힌트
'소매'란, '물건을 생산자나
도매상에게서 사들여 직접
소비자에게 팖.'을 뜻해요.

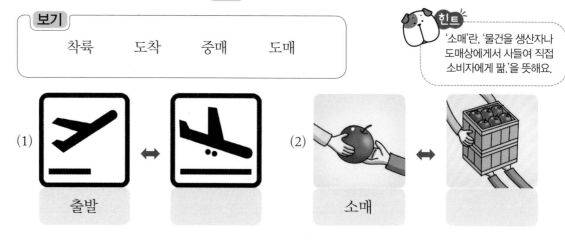

(1) 출발 ↔

(2) 소매 ↔

2 다음 관용 표현의 뜻과 관련 있는 마음을 각각 찾아 선으로 이으세요.

(1) 손에 땀을 쥐다 • ① 몹시 놀라거나 의아하여 눈을 크게 뜨다. • ㉠ 놀란 마음

(2) 눈이 동그 래지다 • ② 아슬아슬하여 마음이 몹 시 달아오르는 듯하다. • ㉡ 초조한 마음

3 허생이 말한 '배'와 같은 의미로 쓰인 낱말을 듬이의 일기에서 찾아 번호에 ○표를 하세요.

만약 과일을 팔지
않는 장사꾼이 있으면
두 배, 세 배를 주고서라도
다 사시오.

허생

어머니께서 깎아 주신 (1) 배가
너무 맛있었다. 그래서 혼자 두 개
나 먹었더니 지난번에 (2) 배가 아
팠을 때보다 몇 (3) 배는 더 아파서
고생을 하였다.

듬이

◉ 「허생전」에서 허생이 전국의 과일을 모두 사들인 탓에 과일을 사려는 사람들은 열 배 이상의 값을 주어야 했어요. 이런 일이 요즘에도 가능할까요? 다음 만화를 보고, 빈칸에 알맞은 말을 쓰세요.

3주
1일

 허생이 살던 시대와 달리 요즘에는 ❶ ☐☐☐☐☐☐ 가 있어

서 허생처럼 가격을 마음대로 조정하는 행위는 모두 ❷ ☐☐ 된대요.

「허생전」에서 허생이 돈을 번 과정을 떠올려 보고, 요즘은 허생이 살던 때와 어떻게 다른지 **경제 활동의 모습을 비교**해 봅니다.

2일

과학 (비문학)

달은 왜 모습을 바꿀까요?

공부한 날　　월　　일

흝어 읽는
방법에 대하여
자세히 알아보기

천재 학습 백과

필요한 정보를 찾으며 흝어 읽어라!

자신에게 필요한 내용이 있는지 찾으며 관심 있는 내용을 흝어 읽는 것을

'흝어 읽기'라고 해요.

내가 알고 싶은 정보를 생각하고, 중요한 낱말을 읽으면서

필요한 내용을 찾아보며 「달은 왜 모습을 바꿀까요?」를 읽어 보아요.

● 오늘 공부할 글과 사진을 미리 보고, 알맞은 낱말을 각각 찾아 표시하세요.

달이 지구 주위를 돌 때 지구의 어느 쪽에 있느냐에 따라 햇빛을 반사하는 부분이 달라지면서 지구에서 보이는 달의 모양이 바뀌어 보이는 것이에요. 달 중에서 오른쪽 가장자리만 보이는 것을 '초승달', 오른쪽 옆이 불룩한 반달을 '상현달', 둥근달을 '보름달'이라고 해요. 또 왼쪽 옆이 불룩한 반달을 '하현달', 달의 왼쪽 가장자리만 보이는 것을 '그믐달'이라고 해요.

1 '빛이 다른 물체의 표면에 부딪쳐 반대 방향으로 꺾이는 것.'이라는 뜻의 낱말을 찾아 ○표를 하세요.

2 '둘레나 끝에 해당되는 부분.'이라는 뜻의 낱말을 찾아 △표를 하세요.

3 '물체의 거죽이 크게 두드러지거나 쑥 내밀려 있는.'이라는 뜻의 낱말을 찾아 □표를 하세요.

달의 모양 변화에
대하여
더 알아보기

달은 왜 모습을 바꿀까요?

스스로 독해

달의 모양이 바뀌어 보
이는 까닭에 대해 알고
싶다면 글을 어떻게 읽
어야 할까요? 점선을 따
라 선을 그어 보고 자신
에게 필요한 부분을 찾
아 읽어 보아요.

　　밤하늘의 달은 참 밝지요. 하지만 달이 스스로 빛을 내지 못한다는 사실을
알고 있나요? 우리 눈에 달이 빛나 보이는 것은 달이 태양의 빛을 반사하기 때
문이에요. 달의 모양이 바뀌어 보이는 것도 이것과 관련이 있어요.

　　달이 지구 주위를 돌 때 지구의 어느 쪽에 있느냐에 따라 햇빛을 반사하는 부분
이 달라지면서 지구에서 보이는 달의 모양이 바뀌어 보이는 것이에요. 달 중에서
오른쪽 가장자리만 보이는 것을 '초승달', 오른쪽 옆이 불룩한 반달을 '상현달',
둥근달을 '보름달'이라고 해요. 또 왼쪽 옆이 불룩한 반달을 '하현달', 달의 왼쪽
가장자리만 보이는 것을 '그믐달'이라고 해요. 이러한 달의 모양 변화는 약 30일
주기로 반복된답니다.

　　달은 태양과 마찬가지로 동쪽에서 뜨고 서쪽으로 져요. ㉠다만 지구 주위를
돌고 있기 때문에 우리 눈에 달이 보이는 시간과 위치가 달라지는 거예요. 해가
진 직후에 달을 관찰해 보면 보름달은 동쪽 하늘에, 상현달은 남쪽 하늘에,
초승달은 서쪽 하늘에 떠 있어요. 하현달과 그믐달은 해가 진 직후에는 볼 수
없지요. 하현달은 한밤중에 동쪽 하늘에서 떠서 새벽에 남쪽 하늘로 사라져요.
그믐달은 새벽에 동쪽 하늘에서 잠깐 보여요. 달은 보름달을 빼고는 태양과 같
이 움직이는 경우가 많아요. 그래서 햇빛이 강하지 않을 때에는 가끔 낮에도 달
을 볼 수 있답니다.

어휘 풀이

- ▼ **반사**│돌이킬 반 反, 쏠 사 射│　빛이 다른 물체의 표면에 부딪쳐 반대 방향으로 꺾이는 것. 예 빛이 거울에 반사되었다.
- ▼ **가장자리**　둘레나 끝에 해당되는 부분. 예 침대 가장자리에서 자다가 바닥으로 떨어졌다.
- ▼ **불룩한**　물체의 거죽이 크게 두드러지거나 쑥 내밀려 있는. 예 동생의 불룩한 주머니 속에 뭐가 들어 있는지 궁금했다.
- ▼ **직후**│곧을 직 直, 뒤 후 後│　어떤 일이 있고 난 바로 다음. 예 밥 먹은 직후에 누우면 소화가 잘되지 않는다.

1
어휘

㉠'다만'과 바꾸어 쓸 수 있는 말은 무엇인가요? (   )

① 단지   ② 비록   ③ 만약   ④ 설마   ⑤ 예를 들어

> 힌트
> '다만'은 '앞의 말을 받아 예외적인 사항이나 조건을 덧붙일 때 그 말머리에 쓰는 말.'을 뜻해요.

2
문법

이 글에 쓰인 다음 낱말의 정확한 뜻을 국어사전에서 찾아보려고 해요. 국어사전에 실린 순서에 맞게 다음 낱말을 차례대로 쓰세요.

반사	직후	불룩하다	가장자리

• 가장자리 → (   ) → (   ) → (   )

스스로 독해 해결! 서술형

3
이해

도일이는 달의 모양이 바뀌어 보이는 까닭에 대해 알기 위해서 글을 훑어 읽었어요. 도일이가 알고 싶어 하는 내용이 나타나 있는 부분을 찾아 빈칸에 알맞은 말을 쓰세요.

달의 모양이 바뀌어 보이는 까닭은 무엇일까?

고도일

> 달의 모양이 바뀌어 보이는 까닭은 달이 지구의 어느 쪽에 있느냐에 따라 _____
> _____이 달라지기 때문입니다.

4
요약

이 글의 내용을 다음과 같이 정리할 때, 빈칸에 알맞은 말을 각각 쓰세요.

달의 모양	지구에서 보이는 달의 모양은 초승달, ❶ [ ][ ][ ], 보름달, 하현달, 그믐달의 순서로 약 30일 주기로 반복된다.
달이 보이는 시간과 위치	해가 진 직후에 보름달은 동쪽 하늘에, 상현달은 남쪽 하늘에, 초승달은 서쪽 하늘에 떠 있다. 하현달은 한밤중에 동쪽 하늘에서 떠서 새벽에 ❷ [ ][ ] 하늘로 사라지고, 그믐달은 ❸ [ ][ ]에 동쪽 하늘에서 잠깐 보인다.

1 다음 문장에서 밑줄 그은 낱말과 뜻이 반대인 낱말을 찾아 선으로 이으세요.

(1) '상현달'은 오른쪽 옆이 <u>불룩</u>하다. ・

・① 진다

(2) 달은 태양과 마찬가지로 동쪽에서 <u>뜬다</u>. ・

・② 우묵

(3) 하현달과 그믐달은 해가 진 <u>직후</u>에는 볼 수 없다. ・

・③ 직전

2 다음 밑줄 그은 낱말과 바꾸어 쓸 수 있는 낱말을 골라 ○표를 하세요.

달의 모양 변화는 <u>약</u> 30일 주기로 반복된다.

(생략 , 대략 , 간략 , 중략 , 만약)

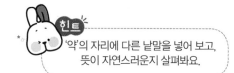

힌트
'약'의 자리에 다른 낱말을 넣어 보고, 뜻이 자연스러운지 살펴봐요.

3 '한밤중'의 뜻을 알맞게 파악한 친구를 찾아 이름에 ○표를 하세요.

한밤중

'한밤중'에서 '한'은 '한창인'의 뜻을 더하는 말로, '한밤중'은 '깊은 밤.'이라는 뜻이야.

번개맨

'한밤중'에서 '한'은 '큰'의 뜻을 더하는 말로, '한밤중'은 '밤하늘이 크다.'라는 뜻이야.

고도일

똑똑한
하루 독해 게임

재미있는 독해 게임으로 독해력 쑥쑥

▶ 정답 및 해설 21쪽

● 다음 다섯 고개 놀이에 알맞은 답을 빈칸에 쓰고, 답에 해당하는 그림을 모두 찾아 칸에 색칠하세요.

 「달은 왜 모습을 바꿀까요?」에서 배운 **달의 특징과 이름**을 떠올려 보고, **다섯 고개 놀이의 답**을 그림에서 찾아 색칠해 봅니다.

밤중에

공부한 날   월   일

시를 읽고
생각이나 느낌을
나누는 방법
자세히 알아보기

천재 학습 백과

시를 읽고 생각이나 느낌을 나누어라!

같은 시를 읽어도 생각이나 느낌은 서로 다를 수 있어요.

시 「밤중에」를 읽고 난 뒤에 자신의 생각이나 느낌을

친구들과 나누어 보아요.

● 오늘 공부할 글의 그림을 미리 보고, 빈칸에 알맞은 낱말을 각각 찾아 쓰세요.

| 산중 | 밤중 | 깊도록 | 닳도록 | 삯바느질 | 손뜨개질 |

달 달 달 달……. ❶ ☐☐ 에 무슨 소리일까요? 아이는 그 소리를 들으며 먼저

→밤이 깊은 때.

잡니다. 아이가 자다가 깨어도 여전히 달달달 그 소리. 어머니는 밤이 ❷ ☐☐☐

→시간이 오래도록.

잠 안 자고 ❸ ☐☐☐☐ 을 하고 계세요.

→돈이나 물건을 받고 하여 주는 바느질.

잠이 깬 아이를 보고 어머니는 뭐라고 하셨을까요?

동시 「밤중에」 듣기

밤중에

이원수

㉠달 달 달 달……

어머니가 돌리는
미싱 소리 들으며
저는 먼저 잡니다.
책 덮어 놓고.
어머니도 어서
주무세요, 네?

자다가 깨어 보면
달달달 그 소리,
어머니는 혼자서
밤이 깊도록
잠 안 자고 삯바느질
하고 계세요.

돌리시던 미싱을
멈추시고
"왜 잠 깼니?
어서 자거라."

어머니가 덮어 주는
이불 속에서
고마우신 그 말씀
생각하면서
잠들면 꿈속에도
들려 옵니다.

"왜 잠 깼니?
어서 자거라
어서 자거라……."

어휘 풀이

▼ **미싱** '바느질을 하는 기계.'인 '재봉틀'을 뜻하는 일본어. 시의 느낌을 살리려고 표준어 대신 쓰인 말.

▼ **깊도록** 시간이 오래도록. 예 올 겨울은 유난히 따뜻해서 겨울이 깊도록 눈이 오지 않았다.

▼ **삯바느질** 돈이나 물건을 받고 하여 주는 바느질.

예 할머니께서는 할아버지가 돌아가신 뒤 삯바느질로 가족의 생계를 책임지셨다고 한다.

1
유추

㉠은 어떤 물건에서 나는 소리일지 알맞은 사진을 찾아 ○표를 하세요.

(1) (　　　　) (2) (　　　　) (3) (　　　　)

2
이해

서술형

어머니께서 잠에서 깬 아이에게 하신 말씀은 무엇인지 찾아 쓰세요.

"왜 잠 깼니? _____"

3주 3일

3
이해

스스로 독해 해결!

이 시에 나타난 어머니의 마음에 대한 자신의 생각이나 느낌을 알맞게 말한 친구는 누구인지 쓰세요.

채연
어머니께서 재봉틀 돌리는 소리에 아이가 잠을 깬 건 아닐까 걱정하시는 부분에서 어머니의 사랑이 느껴졌어.

민준
어머니께서 잠든 아이를 깨우시며 책을 더 읽고 자라고 하시는 것을 보니, 어머니는 아이가 더 노력하기를 바라시는 것 같아.

힌트
어머니께서 하신 말씀과 행동을 살펴보아요.

(　　　　)

4
요약

이 시의 내용을 정리하여 빈칸에 알맞은 말을 각각 쓰세요.

어머니는 밤이 깊도록 ❶ [　][　][　][　] 을 하고 계시고, 아이는 먼저 잠이 든다. 잠에서 잠시 깬 아이에게 어머니는 ❷ [　][　] 을 덮어 주시며 어서 자라고 말씀하신다.

▶ 정답 및 해설 22쪽

1 다음 낱말의 뜻을 보고, 빈칸에 '삯바느질'과 '바느질삯' 중 알맞은 낱말을 각각 골라 쓰세요.

> **삯바느질** 돈이나 물건을 받고 하여 주는 바느질.
>
> **바느질삯** 바느질을 하여 준 대가로 받는 돈이나 물건.

(1) 엄마께서는 ☐☐☐☐
을 하여 우리 가족을 먹여 살리셨다.

(2) 엄마께서는 ☐☐☐☐
으로 쌀을 받아 오셨다.

2 다음 보기 와 같이 두 낱말이 만나 한 낱말이 되면서 'ㄹ'이 없어지는 낱말에 대하여 알아보고, 빈칸에 알맞은 말을 각각 쓰세요.

보기

바늘 + 질 ➡ 바느질

힌트
앞 낱말 '바늘'의 받침 'ㄹ'이 없어졌어요.

솔 + (1) ☐☐
➡ 소나무

딸 + 님
➡ (2) ☐☐

활 + 살
➡ (3) ☐☐

● 시 「밤중에」에서 어머니께서는 밤늦도록 바느질을 하고 계셨어요. 다음 밑그림에 그려진 옷의 조각들을 잘 살펴보고 어머니께서 완성한 옷은 무엇일지 알맞은 것을 찾아 ○표를 하세요.

 시 「밤중에」에서 어머니께서 바느질하신 옷은 무엇일까요? 밑그림에 그려진 옷의 조각들을 잘 조합하면 어떤 옷이 될지 생각해 봅니다.

간장과 된장은 형제

공부한 날　　　월　　　일

일의 순서를 생각하며 글 간추리는 방법에 대하여 자세히 알아보기

천재 학습 백과

차례를 나타내는 말을 찾아라!

일의 순서를 설명하는 글에는 차례를 나타내는 말이 나와요.

'먼저, 그다음으로, 마지막으로' 등과 같은 말이 차례를 나타내는 말이지요.

「간장과 된장은 형제」에서 차례를 나타내는 말을 찾으며 일의 순서를 알아보아요.

● 오늘 공부할 글의 사진을 미리 보고, 빈칸에 알맞은 낱말을 보기 에서 각각 찾아 쓰세요.

보기

장   숯   메주   처마   곰팡이   고추장

❶

콩을 삶아서 찧은 다음, 덩이를 지어서 띄워 말린 것.
예 ○○는 된장, 고추장, 간장을 만드는 데 기본 재료가 된다.

3주
4일

❷

어둡고 축축한 곳에 자라는 작은 생물.
예 메주에 핀 ○○○는 장맛을 좋게 한다.

❸

나무를 숯가마에 넣어 구워 낸 검은 덩어리의 연료.
예 장독에 ○을 넣으면 나쁜 냄새를 없앨 수 있다.

우리나라 발효
식품에 대하여
알아보기

간장과 된장은 형제

스스로 독해

이 글에서 차례를 나타
내는 말은 무엇무엇일
까요? ( ) 속 낱말을
색칠해 보고 일의 순서
를 따지며 글을 읽어 보
아요.

시골에 가면 처마에 매달린 메주를 본 적이 있을 거예요. 메주는 콩을 삶아 찧은 다음 네모나게 뭉쳐서 말린 것으로 간장, 된장, 고추장을 만드는 데 기본 재료가 되지요.

먼저, 겨울에 만든 메주를 처마 밑에 한 달쯤 매달아, 바람을 맞히고 햇볕을 쬐게 해요. 이렇게 잘 띄운 메주에는 곰팡이가 피기 시작해요. 메주에 핀 곰팡이는 장맛을 좋게 하고 영양을 높이는 구실을 해요.

그다음, 잘 익은 메주를 씻어서 말린 뒤 항아리에 넣고 소금물을 붓고 숯, 고추, 대추를 띄워 놓아요. 장독에 숯을 넣는 까닭은 나쁜 냄새를 없애고 메주가 썩는 것을 막기 위해서이며, 고추와 대추는 세균을 없애기 위해서 넣어요.

그리고 나서, 장을 담근 지 40일 정도가 지나면 소금물이 까맣게 되는데, 그 물을 걸러 내서 끓이면 간장이 돼요. 그리고 항아리에 남아 있는 메주를 으깨어 소금을 넣고 한 달쯤 두면 된장이 되는 거예요.

오래 묵힐수록 맛이 좋아지는 간장과 된장은 모두 콩으로 만들었기 때문에 암과 같은 질병을 예방하는 훌륭한 음식이지요.

어휘 풀이

▼ **메주** 콩을 삶아서 찧은 다음, 덩이를 지어서 띄워 말린 것. 예 메주 뜨는 냄새가 구수하게 났다.

▼ **곰팡이** 어둡고 축축한 곳에 자라는 작은 생물. 축축한 물건이나 음식물에 잘 생기는데 퀴퀴한 냄새가 남.
　예 오래된 식빵에 곰팡이가 피었다.

▼ **숯** 나무를 숯가마에 넣어 구워 낸 검은 덩어리의 연료. 예 숯을 피워서 구워 먹는 삼겹살은 맛이 일품이다.

▼ **예방**|미리 예 豫, 막을 방 防| 질병이나 재해 따위가 일어나기 전에 미리 대처하여 막는 일.

1
유추

간장과 된장이 형제라고 한 까닭은 무엇일지 알맞은 것에 ○표를 하세요.

(1) 간장과 된장의 맛과 생김새가 비슷하기 때문에 (　　　　)

(2) 된장을 오랜 시간 두면 간장이 만들어지기 때문에 (　　　　)

(3) 한 항아리 안에서 같은 메주로 간장과 된장이 만들어지기 때문에 (　　　　)

2
이해

서술형

장독에 숯, 고추, 대추를 넣는 까닭은 무엇인지 쓰세요.

숯은 _____ 메주가 썩는 것을
막으며, 고추와 대추는 세균을 없애 주기 때문이다.

3주
4일

3
표현

스스로 독해 해결!

이 글에 쓰인 차례를 나타내는 말을 모두 고르세요. (　　　　　　)

① 먼저　　　② 이렇게　　　③ 때문에

④ 그다음　　⑤ 그러고 나서

힌트
일의 순서와 관련 있는
말을 찾아보아요.

4
요약

간장과 된장을 만드는 순서에 맞게 빈칸에 알맞은 말을 각각 쓰세요.

❶ ▢▢을 삶아 메주 만들기 → 메주를 걸어 말리기 → 메주를 항아리에 넣고 소금물 붓기 → ❷ ▢▢, 고추, 대추를 띄우기 → 소금물을 걸러 내서 끓여 간장 만들기 → 메주를 으깨어 ❸ ▢▢ ▢▢을 넣고 된장 만들기

▶ 정답 및 해설 23쪽

1 다음 낱말의 뜻을 보고, ( ) 안에 알맞은 낱말을 각각 찾아 ○표를 하세요.

띄우다	누룩이나 메주 따위를 발효시키다.
묵히다	일정한 때를 지나서 오래된 상태가 되게 하다.
피다	곰팡이, 버짐, 검버섯 따위가 생겨서 나타나다.

힌트
낱말의 뜻을 살펴보고 알맞게 활용해 보아요.

잘 (1) (띄운 , 묵힌 , 핀) 메주에는 하얗게 곰팡이가 (2) (띄워요 , 묵혀요 , 피어요). 이 메주로 만든 간장과 된장은 오래 (3) (띄울수록 , 묵힐수록 , 필수록) 맛이 좋아져요.

2 밑줄 그은 낱말과 같은 뜻으로 쓰인 낱말이 들어간 문장을 골라 ○표를 하세요.

메주를 항아리에 넣고 소금물을 <u>붓고</u> 숯, 고추, 대추를 띄워 놓는다.
↳ 액체나 가루 따위를 다른 곳에 담고.

(1) 벌에 쏘인 곳이 <u>붓고</u> 가려웠다. ( )

(2) 주전자에 물을 <u>붓고</u> 끓였다. ( )

(3) 은행에 적금을 <u>붓고</u> 이자를 받다. ( )

3 다음 설명을 잘 읽고, '되'와 '돼' 중 빈칸에 알맞은 말을 골라 각각 쓰세요.

'되'는 혼자 쓸 수 없어서 문장 끝에 못 와. '돼'는 '되+어'가 줄어든 말로, 문장 끝에 올 수 있지.

(1) 메주는 간장의 기본 재료가 [ ].

(2) 메주는 간장의 기본 재료가 [ ]어요.

▶ 정답 및 해설 23쪽

● 간장과 된장을 담그려면 메주를 소금물에 넣는 과정을 거쳐야 해요. 그럼 메주를 넣을 소금물의 간은 어떻게 맞출까요? 다음 만화를 보고, 알맞은 낱말에 ○표를 하세요.

 소금물의 간은 달걀을 소금물에 (1)(띄워서 , 풀어서) 맞춰요. 만약 달걀이 소금물에 가라앉는다면 소금물이 (2)(짜다 , 싱겁다)는 것이므로 소금을 더 넣어야 해요.

「간장과 된장은 형제」에서 간장과 된장을 담그는 방법에 대해서 배웠어요. 간장과 된장을 담글 때 필요한 **소금물의 간은 어떻게 맞추는지**에 대하여 알아봅니다.

생활 속 독해

지진 옥외 대피 장소 찾는 법

공부한 날 　　　 월 　　　 일

일의 방법을 찾아라!

지진이 났을 때 우리 동네에서 안전하게 대피할 수 있는 곳을
찾으려면 어떻게 해야 할까요?
「지진 옥외 대피 장소 찾는 법」을 읽으며 그 방법을 알아보아요.

● 오늘 공부할 글의 사진을 미리 보고, 빈칸에 알맞은 낱말을 보기 에서 각각 찾아 쓰세요.

보기

| 대피 | 옥외 | 붕괴 | 지정된 | 설치된 |

❶

집 또는 건물의 밖.
예 지진 ○○ 대피 장소에는 공원, 공터, 학교 등이 있다.

❷

무너지고 깨어짐.
예 지진이 발생하면 건물이 ○○될 수 있으므로 안전한 곳으로 대피해야 한다.

지진 옥외대피소
(EARTHQUAKE EVACUATION ZONE)

이곳은 지진 발생에 대비하여
지정된 긴급 대피장소입니다.

대전광역시 동구

대전광역시 동구-옥외-1

❸

관공서, 학교, 회사, 개인 등으로부터 어떤 것에 특정한 자격이 주어진.
예 이곳은 지진 발생에 대비하여 ○○○ 지진 옥외 대피 장소이다.

지진이 나면 어디로 가라고?

지진에 대하여
더 알아보기

지진 옥외 대피 장소 찾는 법

스스로 독해

누리집이나 스마트폰 응용 프로그램에서 우리 동네 지진 옥외 대피 장소를 찾으려면 어떻게 해야 할까요? 점선 부분을 따라 선을 그으며 읽어 보고 그 방법을 알아보아요.

'지진 옥외 대피 장소'는 지진 발생 시 시설물 붕괴 및 낙하물 등의 위험으로부터 신체를 보호할 수 있는 안전한 야외 장소로, 긴급히 ㉠대피한 주민들이 일정 시간 동안 상황을 살필 수 있는 곳입니다.

공원, 공터, 학교 등이 지진 옥외 대피 장소로 지정된 경우에는 표지판을 설치하고 있습니다.

▲ 지진 옥외 대피 장소 표지판

누리집과 스마트폰 응용 프로그램(APP)에서도 주변의 지진 옥외 대피 장소를 쉽게 찾을 수 있습니다. 누리집에서는 검색창에 '지진 옥외 대피 장소 ▼ 🔍'라고 입력하여 검색하고, 스마트폰 응용 프로그램(APP)을 이용하려면 먼저 '안전디딤돌' 응용 프로그램을 설치하고 다음 순서를 따릅니다.

시설 정보에서 '지진 옥외 대피 장소'를 선택합니다.

원하는 지역을 조회한 다음에 해당 대피소를 선택합니다.

대피소가 어디에 있는지 위치를 확인하고, 미리 알아 둡니다.

어휘 풀이

▼**옥외**|집 옥 屋, 바깥 외 外| 집 또는 건물의 밖. 예 갑작스럽게 비가 와서 옥외 행사가 취소되었다.

▼**시설물**|베풀 시 施, 베풀 설 設, 만물 물 物| 어떤 목적을 위하여 만들어 놓은 건물이나 도구, 기계, 장치 등의 물건.

▼**붕괴**|무너질 붕 崩, 무너질 괴 壞| 무너지고 깨어짐. 예 태풍으로 돌담이 붕괴되었다.

▼**지정**|가리킬 지 指, 정할 정 定|된 관공서, 학교, 회사, 개인 등으로부터 어떤 것에 특정한 자격이 주어진.
예 국보로 지정된 문화재를 잘 보존하기 위해서는 국민들의 관심이 필요하다.

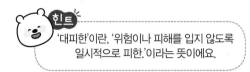

1
어휘

㉠'대피한'과 바꾸어 쓸 수 있는 낱말은 무엇인가요? (   )

① 쫓기는   ② 사라진   ③ 피신한   ④ 거역한   ⑤ 지정한

힌트
'대피한'이란, '위험이나 피해를 입지 않도록 일시적으로 피한.'이라는 뜻이에요.

2
이해

서술형

'지진 옥외 대피 장소'란 어떤 곳인지 쓰세요.

지진이 발생했을 때 위험으로부터 (1) _____ 할 수 있는 안전한 야외 장소로, 긴급히 대피한 주민들이 일정 시간 동안 (2) _____이다.

3주
5일

3
요약

스스로 독해 해결!

누리집이나 스마트폰 응용 프로그램에서 지진 옥외 대피 장소를 찾는 방법을 다음과 같이 정리하였어요. 빈칸에 알맞은 낱말을 각각 쓰세요.

누리집	'지진 ❶ ☐☐ 대피 장소'를 검색하여 찾는다.
스마트폰 응용 프로그램	'안전디딤돌' 응용 프로그램을 설치한다. ↓ 시설 정보에서 '지진 옥외 대피 장소'를 선택한다. ↓ 원하는 ❷ ☐☐ 을 조회한 뒤 해당 대피소를 선택한다. ↓ 대피소의 ❸ ☐☐ 를 확인한다.

1 포함하는 낱말과 포함되는 낱말의 관계가 되도록 알맞은 낱말을 보기 에서 찾아 각각 쓰세요.

보기

홍수   하늘
영토   가뭄
자연생활   자연재해

(1) [　　　]

지진   (2)   (3)   태풍

2 다음 밑줄 그은 낱말과 같은 뜻으로 쓰인 낱말이 들어간 문장을 골라 ○표를 하세요.

지진 발생 시에는 지진 옥외
대피소로 대피하시기 바랍니다.

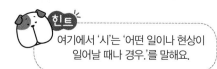

힌트
여기에서 '시'는 '어떤 일이나 현상이
일어날 때나 경우.'를 말해요.

(1) 우리는 10시 10분에
만났다. (　　　)

(2) 무릎에 시퍼렇게
멍이 들었다. (　　　)

(3) 비행 시 휴대 전화 전원을
꺼야 한다. (　　　)

3 다음 낱말의 뜻으로 알맞은 것을 찾아 각각 선으로 이으세요.

(1) 보건소

① 차표나 입장권 따위의 표를
파는 곳.

(2) 대피소

② 비상시에 대피할 수 있도록
만들어 놓은 곳.

(3) 매표소

③ 질병의 예방, 진료, 공중 보
건을 높이기 위하여 둔 공공
의료 기관.

◉ 우리 동네에 지진이 났어요. 친구들이 지진 옥외 대피 장소에 안전하게 도착할 수 있도록 가장 가까운 길을 찾아 알맞게 선을 그어 보세요.

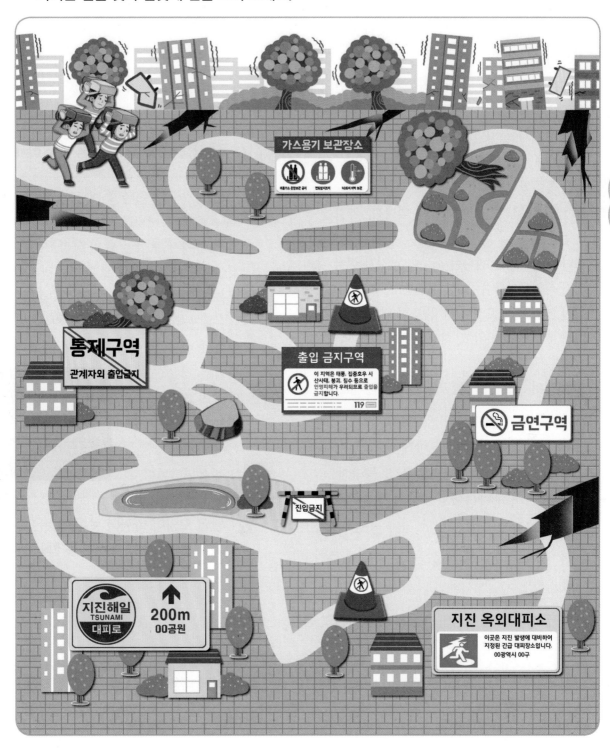

「지진 옥외 대피 장소 찾는 법」에서 우리 주변의 지진 옥외 대피 장소를 찾는 방법을 배웠어요. **지진 옥외 대피 장소임을 알 수 있는 표지판**을 찾아 알맞은 곳으로 친구들을 대피시켜 봅니다.

[1~3] 다음 글을 읽고, 물음에 답하세요.

> 허생은 결국 이 나라의 과일을 모두 사들였다. 하지만 ㉠허생은 과일을 사들이기만 하고 한 번도 내다 팔지 않았다.
>
> 한편, 한양에서도 ㉡날리가 났다. 나라 안의 과일이란 과일이 모두 바닥나자, 양반들이 잔치를 하거나 제사를 지낼 때 쓸 과일을 구할 수 없었기 때문이다. / 이렇게 되자, 과일 장수들은 도로 허생을 찾아왔다.
>
> "㉢갑을 달라는 대로 다 줄 테니까, 과일을 좀 주십시오."
>
> 허생이 과일을 판다는 소문이 퍼지자 전국 각지에서 과일을 사려는 ㉣장삿꾼들이 모여들었다. 가격이 열 배 이상으로 뛰었지만, 한 달도 안 되어 과일이 모두 팔려 나갔고, 허생은 십만 냥을 벌었다.

1 허생이 ㉠과 같이 한 까닭은 무엇인가요?
( )

① 양반들이 잔치를 못 하게 하려고
② 과일 장사를 하는 방법을 잘 몰라서
③ 과일이 바닥나면 어떻게 될지 궁금해서
④ 과일값이 오르면 그때 비싼 값에 팔려고
⑤ 과일을 가난한 백성들에게 나누어 주려고

2 이 글에 나타난 허생의 행동에 대해 자신의 생각을 알맞게 말한 친구에게 ○표를 하세요.

(1) 현민: 허생의 행동은 옳아. 과일이 팔리지 않아 쩔쩔매던 과일 장수들을 도와줬기 때문이야. ( )

(2) 진아: 허생의 행동은 옳지 않아. 과일값이 열 배 이상으로 뛰어서 과일을 산 사람들이 피해를 봤기 때문이야. ( )

3 ㉡~㉣을 잘못 고친 것에 ×표를 하세요.

(1) ㉡ 날리 → 난리 ( )
(2) ㉢ 갑 → 값 ( )
(3) ㉣ 장삿꾼 → 장삿군 ( )

[4~5] 다음 글을 읽고, 물음에 답하세요.

> 달이 지구 주위를 돌 때 지구의 어느 쪽에 있느냐에 따라 햇빛을 반사하는 부분이 달라지면서 지구에서 보이는 달의 모양이 바뀌어 보이는 것이에요. 달 중에서 오른쪽 가장자리만 보이는 것을 '초승달', 오른쪽 옆이 불룩한 반달을 '상현달', 둥근달을 '보름달'이라고 해요. 또 왼쪽 옆이 불룩한 반달을 '하현달', 달의 왼쪽 가장자리만 보이는 것을 '그믐달'이라고 해요. 이러한 달의 모양 변화는 약 30일 주기로 반복된답니다.

4 달의 모양이 바뀌어 보이는 것은 무엇이 달라지기 때문인지 빈칸에 알맞은 말을 쓰세요.

· [   ] 이 [   ] 을 반사하는 부분

5 다음 내용이 맞으면 ○표를, 틀리면 ×표를 하세요.

> 지구에서 보이는 달의 모양 변화는 초승달, 하현달, 보름달, 그믐달, 상현달의 순서로 약 20일 주기로 반복된다.

( )

▶ 정답 및 해설 24쪽

6 다음 시를 읽고 생각이나 느낌을 알맞게 말하지 **못한** 것에 ×표를 하세요.

> 자다가 깨어 보면 / 달달달 그 소리,
> 어머니는 혼자서 / 밤이 깊도록
> 잠 안 자고 삯바느질 / 하고 계세요.
>
> 돌리시던 미싱을 / 멈추시고
> "왜 잠 깼니? / 어서 자거라."

(1) 아이에게 바느질을 가르쳐 주고 싶어 하는 어머니의 마음이 느껴진다. ( )

(2) 시 속 어머니를 보니 나를 키우기 위해 고생하시는 부모님이 생각난다. ( )

(3) 잠을 깬 아이에게 어서 자라고 말하는 부분에서 어머니의 사랑이 느껴진다.

( )

[7~8] 다음 글을 읽고, 물음에 답하세요.

(가) 메주는 콩을 삶아 찧은 다음 네모나게 뭉쳐서 말린 것으로 간장, 된장, 고추장을 만드는 데 기본 재료가 되지요.

(나) 겨울에 만든 메주를 처마 밑에 한 달쯤 매달아, 바람을 맞히고 햇볕을 쬐게 해요.

(다) 잘 익은 메주를 씻어서 말린 뒤 항아리에 넣고 소금물을 붓고 숯, 고추, 대추를 띄워 놓아요.

(라) 장을 담근 지 40일 정도가 지나면 소금물이 까맣게 되는데, 그 물을 걸러 내서 끓이면 간장이 돼요. 그리고 항아리에 남아 있는 메주를 으깨어 소금을 넣고 한 달쯤 두면 된장이 되는 거예요.

7 간장과 된장을 만드는 데 기본 재료가 되는 것을 골라 ○표를 하세요.

(고추 , 메주 , 설탕)

8 간장과 된장을 만드는 순서대로 기호를 쓰세요.

> ㉠ 메주를 처마 밑에 매달아 말리기
> ㉡ 메주를 으깨어 소금을 넣고 된장 만들기
> ㉢ 메주를 항아리에 넣고 소금물 붓기
> ㉣ 소금물을 걸러 내서 끓여 간장 만들기

㉠ → ( ) → ( ) → ( )

[9~10] 다음 글을 읽고, 물음에 답하세요.

'지진 옥외 대피 장소'는 지진 발생 시 시설물 붕괴 및 낙하물 등의 위험으로부터 신체를 보호할 수 있는 안전한 ㉠야외 장소로, 긴급히 대피한 주민들이 일정 시간 동안 상황을 살필 수 있는 곳입니다.

공원, 공터, 학교 등이 지진 옥외 대피 장소로 지정된 경우에는

표지판을 설치하고 있습니다. / 누리집과 스마트폰 응용 프로그램(APP)에서도 주변의 지진 옥외 대피 장소를 쉽게 찾을 수 있습니다.

9 '지진 옥외 대피 장소'에 대한 설명으로 알맞은 것을 골라 ○표를 하세요.

(1) 아직 누리집과 스마트폰 응용 프로그램으로는 찾을 수 없다. ( )

(2) 지진 옥외 대피 장소로 지정된 곳에는 표지판이 설치되어 있다. ( )

10 ㉠과 뜻이 비슷한 낱말을 고르세요. ( )

① 실내　　② 비밀　　③ 바깥

④ 지하　　⑤ 옥상

창의
1 다음 만화를 읽고, 3주차에서 배운 낱말을 떠올려 어휘 퀴즈에 알맞은 낱말을 빈칸에 각각 쓰세요.

어휘 퀴즈

1 '집 또는 건물의 밖.'을 뜻하는 말은? ➡

2 '물건을 낱개로 팔지 않고 죄다 한데 묶어서 팖.'을 뜻하는 말은? ➡

3 '이 약은 식사를 마친 ○○에 먹지 말고 30분 뒤에 먹는 것이 좋다.'의 빈칸에 들어갈 알맞은 말은? ➡

융합

2 청이가 방금 담근 된장을 장독대에 갖다 놓으러 가요. 이제 미생물이 발효를 일으켜 된장이 익으면서 장맛이 좋아질 거예요. 뜻에 알맞은 콩 발효 식품을 찾아 장독대까지 길을 찾아가세요.

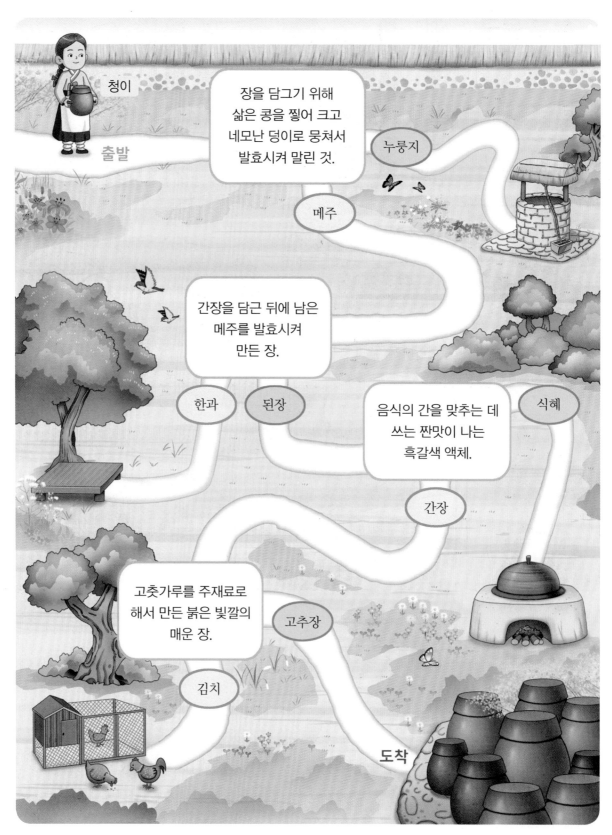

▶정답 및 해설 25쪽

코딩

3 허생이 장터에서 여러 종류의 과일을 사들이고 있어요. 과일을 모두 사서 광에 도착할 수 있도록 빈 칸에 알맞은 화살표를 각각 넣어 코딩 명령을 완성하세요.

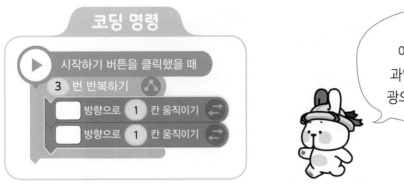

➡, ⬅, ⬆, ⬇ 중 어느 방향으로 가야 과일이 있는 칸만 거쳐 광으로 갈 수 있을까요?

3주
특강

이 나라의 과일을 모두 사들여야지.

허생

출발

창의
4
생활 어휘

다음 의류 수거함에 쓰인 내용을 보고 알맞은 말을 골라 ◯표를 하세요.

의류 수거함에 글이 쓰여 있네. 의류 수거함 이용 방법인가 봐.

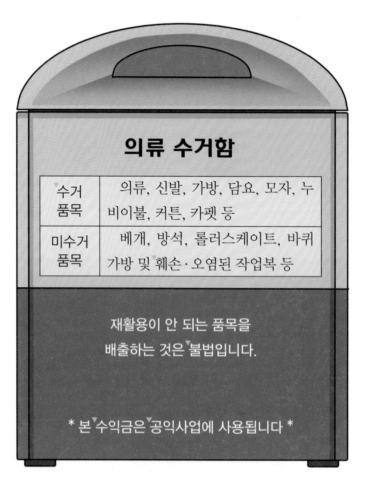

의류 수거함

수거 품목	의류, 신발, 가방, 담요, 모자, 누비이불, 커튼, 카펫 등
미수거 품목	베개, 방석, 롤러스케이트, 바퀴 가방 및 훼손·오염된 작업복 등

재활용이 안 되는 품목을
배출하는 것은 ▾불법입니다.

＊ 본 ▾수익금은 ▾공익사업에 사용됩니다 ＊

의류 수거함이 뭔데? 이 통 안에 뭘 넣는 거야?

　애들아! 이건 옷이나 신발 같은 물건을 (1) (거두어 가는 , 되찾아 주는) 통이야. 옷이나 신발 같은 것은 넣어도 되지만, 베개나 방석 같은 것은 넣으면 안 돼. 이것들을 넣으면 법에 (2) (알맞은 , 어긋나는) 행동인 거야. 그리고 이 수거함을 통해서 얻은 이익은 (3) (공공 , 개인)의 이익을 위한 사업에 사용된다고 하니까 우리도 내보낼 의류가 있다면 동참하자.

어휘 풀이

▾**수거**ㅣ거둘 수 收, 갈 거 去ㅣ　거두어 감. 예 새벽마다 쓰레기 수거 차량이 온다.

▾**훼손**ㅣ헐 훼 毀, 덜 손 損ㅣ　헐거나 깨뜨려 못 쓰게 만듦. 예 자연환경의 훼손이 심각하다.

▾**불법**ㅣ아닐 불 不, 법도 법 法ㅣ　법에 어긋남. 예 노래나 영화를 무단으로 내려받는 것은 불법이다.

▾**수익금**ㅣ거둘 수 收, 더할 익 益, 쇠 금 金ㅣ　이익으로 들어오는 돈. 예 판매 수익금을 전부 기부하였다.

▾**공익사업**ㅣ공변될 공 公, 더할 익 益, 일 사 事, 업 업 業ㅣ　공공의 이익을 위하여 하는 사업.

3주
특강

창의 5 생활 한자

防(막을 방) 자에 대해 알아보고, 다음 물음에 답하세요.

防 자는 농기구로 언덕을 만들어 뭔가를 막는 모습을 그려서 '막다'라는 뜻을 표현한 글자예요.

막을 **방**

(1) 防 자가 들어간 낱말을 알아보고, 한자의 음을 쓰세요.

① 이 시계는 <u>防水</u> 기능이 훌륭하다.

 수

힌트

116쪽에서 공부한 '예방'에 쓰인 防(막을 방) 자에 대해 알아봐요.

② 농부는 병충해를 <u>防止</u>하기 위해 약을 뿌렸다.

 지

(2) 한자 성어의 뜻을 알아보고, 빈칸에 알맞은 한자를 쓰세요.

衆 口 難 防

무리 **중**　입 **구**　어려울 **난**　막을 **방**

여러 사람의 말을 막기가 어렵다는 뜻으로, 막기 어려울 정도로 여럿이 마구 지껄임을 이르는 말.

· 衆 口 難 ☐ (중구난방)으로 말하면 학급 회의를 제대로 진행할 수 없다.

4주

4주에는 무엇을 공부할까? ❶

-태민이네-

1-1 다음 문장에 넣을 바른 낱말을 골라 ○표를 하세요.

내가 수십 번의 실패를 (기대한 , 거듭한) 끝에 만든 부여 답사의 모범 답안을 여러분 께 알려 드리지요.

1-2 다음 글에서 밑줄 그은 낱말을 바르게 고쳐 쓰세요.

> 사람 몸에 안전한 백신을 만들기 위해 과학자들은 실험을 <u>거듶했다</u>.

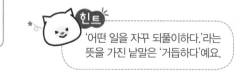
힌트
'어떤 일을 자꾸 되풀이하다.'라는 뜻을 가진 낱말은 '거듭하다'예요.

거 듶 했다 ➡ ☐ ☐ 했다

▶ 정답 및 해설 26쪽

2-1 다음 문장의 빈칸에 넣을 바른 낱말을 골라 ○표를 하세요.

한 번은 내가 잘못하여 그를 _____ 에 빠뜨렸는데, 그때도 나를 비난하지 않았다. 일을 하다 보면, 실패할 수도 있다는 것을 친구는 알고 있기 때문이다.

(1) 궁리 (   )

(2) 궁지 (   )

2-2 다음 문장의 빈칸에 들어갈 바른 낱말을 쓰세요.

'ㄱ ㅈ 에 빠진 쥐가 고양이를 문다'는 속담은 매우 어려운 처지가 되면 약한 자도 힘을 다하여 반항한다는 말이다.

ㄱ ㅈ ➡ ☐☐

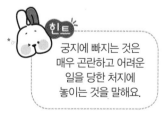

힌트

궁지에 빠지는 것은 매우 곤란하고 어려운 일을 당한 처지에 놓이는 것을 말해요.

또 하나의 약속

공부한 날   월   일

> 어떡하지? 어제 친구랑 만나기로 약속한 시간보다 늦게 나가서 친구가 화가 났어.

> 다음부터는 미리 나가서 친구를 기다려 봐.

> 알겠어. 다음부터는 약속 시간을 잘 지킬 거야.

> '약속'하니까 생각나는 이야기가 있다!

> 「또 하나의 약속」이라는 글이야. 인물이 어떤 시대 상황에서 무슨 약속을 하는지 읽어 보자.

시대적 배경인 '베트남 전쟁'에 대해 자세히 알아보기

천재 학습 백과

사건에 영향을 미치는 시대적 배경을 찾아라!

이야기의 배경이 되는 시대 상황에 따라 이야기에서 일어나는 사건이 달라져요.

「또 하나의 약속」에서 사건에 영향을 준 시대적 배경을 살펴보며 글을 읽어 보아요.

● 오늘 공부할 글과 그림을 미리 보고, 알맞은 낱말을 각각 찾아 표시하세요.

바닷가는 이미 베트남을 탈출하려는 사람들로 아수라장이었어. 뗏목 위의 밀 짚모자를 쓴 아저씨가 휘엔과 나를 차례로 번쩍 들어 태웠어.

엄마는 뗏목에 타는 대신 끼고 있던 묵주를 잽싸게 내 팔목에 채워 줬어.

1 '싸움이나 그 밖의 다른 일로 큰 혼란에 빠진 곳. 또는 그런 상태.'라는 뜻의 낱말을 찾아 ○표를 하세요.

2 '통나무를 떼로 가지런히 엮어서 물에 띄워 사람이나 물건을 옮겨 나를 수 있도록 만든 것.'이라는 뜻의 낱말을 찾아 △표를 하세요.

3 '가톨릭에서, 기도할 때 사용하는 줄에 꿴 구슬과 십자가.'라는 뜻의 낱말을 찾아 □표를 하세요.

사람들이 뗏목을 타고 탈출한다고?

전체 이야기 보기

또 하나의 약속

김도식

새벽녘 아득한 꿈결에 베트남에서의 마지막 날들이 어른거렸어. 수도 사이공이 무너졌다는 소식이 들려오자 엄마의 얼굴은 흙빛으로 변했어. 포병으로 입대하여 적군과 싸웠던 아빠는 영영 소식이 없었지. 우리는 마을을 점령한 군인들에게 집을 빼앗기고 거리로 쫓겨났어.

"이 마을은 앞으로 우리가 특별히 관리하겠다."

군인들은 마을 사람들을 괴롭혔어. 엄마는 일자리를 구할 수가 없었어. 밥 먹는 날보다 굶는 날이 많았지. 나는 쓰레기 더미를 뒤지러 거리를 떠돌다가 불발탄을 밟아서 발목을 크게 다쳤어. 정신을 잃은 나를 허름한 병원에 옮기고 엄마는 한동안 넋 나간 모습이었어.

엄마의 기침 소리도 날이 갈수록 커졌어.

내 상처가 어느 정도 아문 후 엄마는 조용히 짐을 쌌어. 우리를 앉혀 놓고 살아남으려면 이 나라를 탈출해야 한다고 담담한 목소리로 말했어. 끊임없이 쿨럭이는 엄마의 기침에 피가 섞였어.

바닷가는 이미 베트남을 탈출하려는 사람들로 아수라장이었어. 뗏목 위의 밀짚모자를 쓴 아저씨가 휘엔과 나를 차례로 번쩍 들어 태웠어. / 엄마는 뗏목에 타는 대신 끼고 있던 묵주를 ㉠잽싸게 내 팔목에 채워 줬어.

"비엣. 어려운 일 있을 때 꼭 묵주를 굴리며 기도를 해야 한다. 엄마랑 약속해? 휘엔 잘 보살피고."

어휘 풀이

▼ **수도**|머리 수 首, 도읍 도 都| 한 나라의 중앙 정부가 있는 도시. 예 우리나라의 수도는 서울특별시이다.

▼ **불발탄**|아닐 불 不, 필 발 發, 탄알 탄 彈| 발사되지 않았거나 발사되었어도 터지지 않은 탄알, 포탄, 폭탄 따위를 통틀어 이르는 말. 예 군인들은 불발탄을 제거하는 작업을 시작했다.

▼ **아수라장**|언덕 아 阿, 닦을 수 修, 그물 라 羅, 마당 장 場| 싸움이나 그 밖의 다른 일로 큰 혼란에 빠진 곳. 또는 그런 상태. 예 건물에 불이 나자 순식간에 아수라장으로 변했다.

▼ **묵주**|잠잠할 묵 默, 구슬 주 珠| 가톨릭에서, 기도할 때 사용하는 줄에 꿴 구슬과 십자가.

▲ 묵주

1
어휘

㉠'잽싸게'와 바꾸어 쓸 수 있는 낱말은 무엇인가요? (   )

① 빠르게   ② 느리게   ③ 차분하게

④ 자연스럽게   ⑤ 어수선하게

2
이해

서술형

엄마가 짐을 싸며 비엣과 휘엔에게 하신 말씀은 무엇인지 쓰세요.

살아남으려면 _____고 말씀하셨다.

3
이해

스스로 독해 해결!

이야기의 사건에 영향을 미친 시대적 배경이 나타나지 <u>않은</u> 것은 무엇인가요? (   )

① 수도 사이공이 무너진 것

② 군인들이 마을을 차지한 것

③ 아빠가 군대에 들어가 적군과 싸운 것

④ 비엣이 불발탄을 밟아 발목을 다친 것

⑤ 어려운 일이 있을 때 묵주를 굴리며 기도하는 것

힌트

이야기 속 인물들이 베트남을 탈출하는 사건에 영향을 미친 배경이 나타나는 일을 찾아봐요.

4주
1일

4
요약

이 이야기의 내용을 정리하여 빈칸에 알맞은 말을 각각 쓰세요.

| 베트남을 탈출하게 된 상황 | 마을을 점령한 ❶ [ ][ ]들은 사람들의 집을 빼앗고 사람들을 괴롭혔다. 엄마는 일자리를 구할 수 없어 가족들이 굶는 날이 많았고 비엣은 거리를 떠돌다가 불발탄을 밟아 발목을 다치게 되었다. |

| 베트남을 탈출할 때 일어난 사건 | 베트남을 탈출하려는 사람들로 ❷ [ ][ ][ ][ ]인 바닷가에서 비엣과 휘엔은 뗏목에 타지만 엄마는 뗏목에 타는 대신에 끼고 있던 ❸ [ ][ ]를 비엣에게 채워 주며 당부를 한다. |

1 다음 문장에서 밑줄 그은 낱말의 뜻으로 알맞은 것을 골라 ○표를 하세요.

> 아저씨가 휘엔과 나를 차례로 <u>번쩍</u> 들어 태웠어.

(1) 큰 빛이 잠깐 나타났다가 사라지는 모양. (　　　)
예 번갯불이 <u>번쩍</u> 하늘을 갈랐다.

(2) 어떤 생각이 갑자기 머리에 떠오르는 모양. (　　　)
예 갑자기 좋은 생각이 <u>번쩍</u> 떠올랐다.

(3) 매우 가볍게 들어 올리는 모양. (　　　)
예 아저씨는 무거운 상자를 <u>번쩍</u> 들어 올리셨다.

2 다음 낱말의 뜻을 보고, 낱말이 바르게 쓰인 문장을 골라 ○표를 하세요.

> 아수라장   싸움이나 그 밖의 다른 일로 큰 혼란에 빠진 곳. 또는 그런 상태.

(1) 지진이 일어나 건물들이 흔들리자 도시는 아수라장 으로 변했다. (　　　)

(2) 그 선수는 자신의 마지막 경기에서 아수라장 이라는 마음으로 상대에게 공격적으로
달려들었다. (　　　)

힌트 '아수라장'이라는 낱말이 들어갔을 때
자연스러운 문장을 찾아보아요.

● 다음은 「또 하나의 약속」의 뒷이야기예요. 비엣이 아저씨와 한 약속은 무엇일까요? 도기의 설명을 읽고 베트남의 국기를 떠올린 친구와 베트남 전통 모자를 쓴 친구를 골라 그 친구들 아래에 있는 글자를 빈칸에 차례대로 쓰세요.

비엣이 탄 뗏목은 한국 어선을 만나지만 베트남에서 탈출한 사람들을 받아들이면 한국 선장은 처벌을 받는다는 명령이 내려진다. 비엣은 밤에 털보 아저씨를 만나 베트남에 남겨진 어머니 이야기를 하고, 아저씨는 전쟁터에서 죽을 뻔했던 이야기를 들려준다. 다음날 선장이 베트남 사람들을 한국으로 데려다주기로 한다. 비엣은 어제 만난 털보 아저씨가 선장이었음을 알게 되고, 아저씨를 위해 ☐☐해 줄 것을 약속한다.

베트남의 국기는 빨간색과 노란색으로 되어 있어요. 빨간색으로 바탕이 칠해져 있고, 가운데에는 노란색 별이 하나 있어요.

바	기
고	아

미	포
도	자

베트남의 전통 모자는 대나무로 뼈대를 잡아 만들어요. 흔히 고깔 모양으로 생겨서 햇빛이나 비를 막을 수 있어요.

 비엣은 아저씨를 위해 ☐ ☐ 해 줄 것을 약속했어요.

 「또 하나의 약속」의 내용을 떠올리며 사건이 일어난 장소인 **베트남의 국기와 전통 모자**에 대하여 알아봅니다.

몸이 앞뒤로 쏠리는 까닭은?

공부한 날   월   일

추론에 대해
자세히 알아보기

천재 학습 백과

생략된 내용을 추론하며 읽어라!

차를 타고 가다 보면 몸이 흔들리지요?

생략된 내용을 추론해 보며 「몸이 앞뒤로 쏠리는 까닭은?」을 읽어 보아요.

추론은 이미 알려진 정보를 근거로 삼아 다른 판단을 이끌어 내는 것으로,

생략된 내용을 짐작해서 글을 읽으면 내용을 좀 더 깊고 넓게 이해할 수 있답니다.

● 오늘 공부할 글의 사진과 그림을 미리 보고, 빈칸에 들어갈 낱말을 보기 에서 각각 찾아 쓰세요.

보기

컵　　　유지　　　물체　　　추

❶

구체적인 형태를 가지고 있는 것.
ⓔ 앞으로 운동하던 ○○는 계속 앞으로 나아가려고 한다.

❷

어떤 상태나 상황을 그대로 보존하거나 변함없이 계속하여 버팀.
ⓔ 관성은 물체가 처음의 운동 상태를 계속 ○○하려는 성질이다.

❸

저울로 물건의 무게를 잴 때 쓰는 일정한 무게의 쇠.
ⓔ 종이 위에 ○를 놓은 상태에서 종이를 당기며 어떻게 움직이는지 살펴보자.

관성에 대해
더 알아보기

몸이 앞뒤로 쏠리는 까닭은?

스스로 독해

이 글에서 생략된 내용은 무엇일까요? 점선 부분을 따라 선을 그으며 읽고, 알게 된 정보를 근거로 삼아 빈칸에 들어갈 생략된 내용을 짐작해 보세요.

차를 타고 울퉁불퉁한 산길을 가다 보면 몸이 앞뒤로 많이 흔들리게 돼.

우리 몸이 앞뒤로 왔다 갔다 움직이는 것은 '관성' 때문이야. 관성은 물체가 처음의 운동 상태를 계속 유지하려는 성질이야. 앞으로 운동하던 물체는 계속 앞으로 나아가려고 하고, 멈춰 있던 물체는 계속 멈추려고 하지.

그래서 차를 타고 쭉 달리다 차가 멈추면 몸이 앞으로 쏠리게 되는 거야. 자동차가 가던 방향으로 몸이 계속 가려고 하기 때문이지. 반대로 멈췄던 차가 다시 앞으로 출발할 경우, 몸은 지금까지 그대로 있었던 것을 유지하려고 해. 따라서 ［　　　　㉠　　　　］.

자, 신기하고 재미있는 마술 두 가지를 보여 줄게.

종이 위에 추를 놓은 상태에서 종이를 천천히 당기고 빨리 당기며 추가 어떻게 움직이는지 살펴보

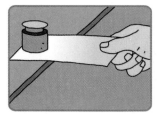 

자. 종이를 천천히 당길 때에는 추가 함께 움직이지만, 종이를 빨리 당기면 추는 제자리에 있고 종이만 쏙 빠져나오지.

두 번째 마술은 컵 위에 종이와 동전을 놓고 하는 거야. 손가락으로 종이를 튕기면 종이는 날아가도 동전은 컵 속에 쏙 들어가게 돼.

이 두 가지 마술은 모두 물체가 처음의 운동 상태를 유지하려고 하는 관성을 이용한 것이지.

어휘 풀이

▼**물체**|만물 물 物, 몸 체 體| 구체적인 형태를 가지고 있는 것. 예 방에 못 보던 물체가 있다.

▼**유지**|바 유 維, 가질 지 持| 어떤 상태나 상황을 그대로 보존하거나 변함없이 계속하여 버팀.
　예 아버지께서는 건강을 유지하기 위해 꾸준히 운동을 하신다.

▼**마술**|마귀 마 魔, 꾀 술 術| 재빠른 손놀림이나 여러 가지 장치, 속임수 따위를 써서 신기한 일을 하여 보임.
　예 마술사는 상자 안에 들어간 사람을 사라지게 하는 마술을 부렸다.

▼**추**|저울 추 錘| 저울로 물건의 무게를 잴 때 쓰는 일정한 무게의 쇠. 예 나는 추를 사용하여 물건의 무게를 쟀다.

1
이해

이 글에서 설명하고 있는 것은 무엇인가요? (   )

① 종이와 추의 관계

② 멀미를 하는 까닭

③ 관성의 뜻과 특징

④ 산길을 오를 때 주의할 점

⑤ 신기하고 재미있는 마술의 세계

2
유추

스스로 독해 해결!

㉠ 안에 들어갈 내용을 알맞게 짐작한 것에 ○표를 하세요.

(1) 몸이 멈추게 되지 (   )

(2) 몸이 앞으로 쏠리게 되지 (   )

(3) 몸이 뒤로 쏠리게 되지 (   )

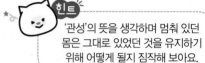

힌트
'관성'의 뜻을 생각하며 멈춰 있던
몸은 그대로 있었던 것을 유지하기
위해 어떻게 될지 짐작해 보아요.

4주
2일

3
이해

서술형

종이 위에 추를 놓은 상태에서 종이를 빨리 당기면 추가 어떻게 움직이는지 쓰세요.

종이를 빨리 당기면 추는 _____
종이만 쏙 빠져나온다.

4
요약

차를 타고 갈 때 몸이 앞뒤로 쏠리는 까닭을 원인과 결과로 나누어 빈칸에 알맞은 말을
각각 쓰세요.

원인	차를 타고 갈 때 몸이 앞뒤로 움직이는 것은 ❶ [ ][ ] 때문인데, 이는 물체가 처음의 운동 상태를 계속 유지하려는 성질이다.
결과	차를 타고 달리다 차가 멈추면 자동차가 가던 방향으로 계속 가려고 몸이 ❷ [ ]으로 쏠리게 되고, 멈췄던 차가 다시 앞으로 출발할 경우 몸은 그대로 있었던 것을 유지하기 위해 ❸ [ ]로 쏠리게 된다.

1 다음 보기 의 밑줄 그은 '운동'과 같은 뜻으로 쓰인 것을 골라 ○표를 하세요.

> 보기
>
> 앞으로 <u>운동</u>하던 물체는 계속 앞으로 나아가려고 하고,
> 멈춰 있던 물체는 계속 멈추려고 하지.

(1) 건강을 위해 규칙적으로 <u>운동</u>을 해야 한다.

(   )

(2) 천체 망원경으로 별들의 <u>운동</u>을 관찰했다.

(   )

> 힌트
>
> '운동'에는 여러 가지 뜻이 있어요. '물체가 시간의 흐름에 따라 하는 어떤 활동이나 움직임.'이라는 뜻으로 쓰인 것을 골라 보아요.

2 다음 낱말과 뜻이 반대되는 낱말을 보기 에서 각각 찾아 쓰세요.

> 보기
>
> 물러서다   밀다   도착하다   오르다

(1) 당기다 ⬄ [   ]   (2) 출발하다 ⬄ [   ]

(3) 나아가다 ⬄ [   ]   (4) 내리다 ⬄ [   ]

3 다음 문장을 보고 맞춤법에 맞게 쓴 말을 골라 각각 ○표를 하세요.

(1) 우리 몸이 앞뒤로 (왔다갔다 , 왔다 갔다) 움직이는 것은 관성 때문이야.

(2) 손가락으로 종이를 (팅기면 , 튕기면) 종이는 날아가도 동전은 컵 속에 쏙 들어가게 돼.

◉ 「몸이 앞뒤로 쏠리는 까닭은?」에서는 관성에 대해 살펴보았어요. 그렇다면 관성을 알 수 있는 재미있는 실험을 해 볼까요? 다음 실험을 보고 알맞은 말을 골라 각각 ○표를 하세요.

크기가 같은 원형 판 여러 개를 준비해서 줄을 맞춰 탑을 쌓는다.

중간에 있는 판 중에 빼낼 판을 정하고, 망치 머리를 바닥과 수평이 되게 잡는다.

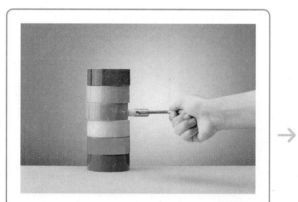

수평을 유지하면서 빠른 속도로 판을 힘껏 친다.

힘껏 친 판이 빠져도 탑은 무너지지 않는다.

 탑을 쌓고 빼낼 판을 정한 다음에는 (1) (비스듬하게 , 수평으로) 치는 것이 중요해요. 힘껏 친 판이 빠져도 탑이 무너지지 않는 까닭은 원형 판들이 (2) (관성 , 관습)을 가지기 때문이에요.

 「몸이 앞뒤로 쏠리는 까닭은?」의 내용을 떠올리며 **관성을 알 수 있는 실험**을 해 봅니다.

멋스럽게 부여를 돌아보는 법

공부한 날 　　월　　　일

기행문에 대해
자세히 알아보기

천재 학습 백과

기행문을 읽고 여정을 알아보자!

여행을 하고 나서 쓴 글인 기행문에는 여행을 한 과정이 드러나는데

이 과정을 여정이라고 한답니다. 시간에 따른 장소의 변화를 살펴보며

「멋스럽게 부여를 돌아보는 법」에 나타난 여정을 알아보아요.

● 오늘 공부할 글과 사진을 미리 보고, 알맞은 낱말을 각각 찾아 표시하세요.

▲ 궁남지

▲ 능산리 고분군

▲ 정림사지 오층 석탑

　　부여 답사는 답사 순서와 시간대를 잘 정하는 게 아주 중요합니다. 내가 수십 번의 실패를 거듭한 끝에 만든 부여 답사의 모범 답안을 여러분께 알려 드리지요. 서울에서 출발하든 광주 혹은 대구에서 출발하든, 또 공주를 거쳐 오든 오후 서너 시에는 부여 입구에 있는 능산리 고분군에서 답사를 시작해야 합니다. 그래야 왕이 살던 도읍에 들어왔구나 하는 기분이 들거든요.

1 '현장에 가서 직접 보고 조사함.'이라는 뜻의 낱말을 찾아 ○표를 하세요.

2 '본받아 배울 만한 대상.'이라는 뜻의 낱말을 찾아 △표를 하세요.

3 '한 나라의 중앙 정부가 있는 곳.'이라는 뜻의 낱말을 찾아 □표를 하세요.

부여에 대하여
더 알아보기

멋스럽게 부여를 돌아보는 법

유홍준

스스로 독해

글쓴이는 어떤 여정으로 여행하고 있나요? ⎡ ⎤ 속 낱말을 색칠하며 읽어 보고 답을 찾아보세요.

부여 답사는 답사 순서와 시간대를 잘 정하는 게 아주 중요합니다. 내가 수십 번의 실패를 거듭한 끝에 만든 부여 답사의 모범 답안을 여러분께 알려 드리지요. 서울에서 출발하든 광주 혹은 대구에서 출발하든, 또 공주를 거쳐 오든 오후 서너 시에는 부여 입구에 있는 능산리 고분군에서 답사를 시작해야 합니다. 그래야 왕이 살던 도읍에 들어왔구나 하는 기분이 들거든요.

능산리 고분군 다음은 부소산성이에요. 부소산 산책 길을 거닐며 굽이치는 백마강 물줄기와 부여 읍내와 그 너머 산과 들판을 바라봅니다. 호젓한 부소산성을 맘껏 즐기고 숙소로 돌아오면 되지요. 만약

▲ 부소산성의 사비문

해가 긴 여름이라면 규암 선착장에서 유람선을 타고 고란사 선착장에 내려 부소산성을 ㉠거닐어 보세요. 그 즐거움이 더욱 클 것입니다. 저녁 식사 후에는 구드래 나루터로 나와 제방 길을 따라 걸으며 흰 달빛이 어른거리는 강을 바라보는 것도 멋스럽지요. 이튿날에는 아침 일찍 산책 삼아 여유롭게 걸어 궁남지와 정림사지 오층 석탑을 답사하고 돌아와 식사를 합니다.

▲ 정림사지 오층 석탑

부소산성은 저녁이 좋듯이 궁남지와 정림사 탑은 아침 안개에 덮여 있을 때가 아름답거든요. 그런 후에 국립 부여 박물관의 백제 유물들을 찬찬히 보고, 부여를 떠나기 전에 백마강변 한쪽에 있는 불교 전래 사은비와 신동엽 시비를 보고 임천의 대조사나 외산의 무량사로 향하는 거죠.

어휘 풀이

▼ **답사**|밟을 답 踏, 사실할 사 査| 현장에 가서 직접 보고 조사함. ㉲ 백제의 유적지로 답사를 떠났다.

▼ **도읍**|도읍 도 都, 고을 읍 邑| 한 나라의 중앙 정부가 있는 곳. ㉲ 이곳은 옛 임금이 살던 도읍이었다.

▼ **제방**|방죽 제 堤, 막을 방 防| 물가에 흙이나 돌, 콘크리트 따위로 쌓은 둑. ㉲ 비가 많이 와서 제방이 무너졌다.

▼ **유물**|남길 유 遺, 만물 물 物| 앞선 시대에 살았던 사람들이 후대에 남긴 물건.
㉲ 여기가 선사 시대 유물이 발견된 곳이다.

▼ **시비**|시 시 詩, 비석 비 碑| 시를 새긴 비석. ㉲ 우리 학교에는 시비가 세워져 있다.

▶ 정답 및 해설 28쪽

서술형

1 글쓴이가 부여를 답사할 때 중요하다고 생각한 점은 무엇인지 쓰세요.

이해

> 글쓴이는 부여를 답사할 때 _____를
> 잘 정하는 게 아주 중요하다고 생각한다.

힌트

글쓴이가 멋스럽게 부여를
돌아보기 위해 어떤 것이
중요하다고 하였는지 찾아보세요.

2 ㉠'거닐어'의 뜻으로 알맞은 것에 ○표를 하세요.

어휘

(1) 대강 훑어 (   )

(2) 한가롭게 걸어 (   )

(3) 자세히 관찰하여 (   )

4주
3일

3 글쓴이가 다녀온 장소가 아닌 곳은 어디인가요? (   )

이해

① 궁남지   ② 부석사   ③ 부소산성

④ 구드래 나루터   ⑤ 국립 부여 박물관

스스로 독해 해결!

4 시간의 흐름에 따른 글쓴이의 여정을 정리하여 빈칸에 알맞은 말을 각각 쓰세요.

요약

| 첫째 날 오후 ~ 저녁 | 부여 입구에 있는 ❶ ☐☐☐☐☐☐ 에서 답사를 시작하고 다음으로 ❷ ☐☐☐☐ 으로 향한다. 저녁 식사 후에는 구드래 나루터로 나와 걸으며 강을 바라본다. |

↓

| 이튿날 아침 |  아침 일찍 산책 삼아 ❸ ☐☐☐ 와 정림사지 오층 석탑을 답사한다. 그리고 국립 부여 박물관의 유물들을 살펴보고 불교 전래 사은 비와 신동엽 시비를 보고 다음 장소로 향한다. |

1 보기 를 살펴보고 다음 문장에서 알맞은 말을 각각 골라 ◯표를 하세요.

> 보기
>
> **-든** 여러 사실 중에 어느 것을 선택해도 상관이 없음을 나타내는 말. '-든지'의 준말.
>
> **-던** 과거의 어떤 상태를 나타냄.

(1) 서울에서 출발하(든 , 던) 공주를 거쳐 오(든 , 던) 오후 서너 시에는 능산리 고분군에서 답사를 시작해야 합니다.

(2) 깨끗했(든 , 던) 계곡물에 발을 담그고 놀았다.

> 힌트
> '선택'과 '과거'를 뜻하는 말 중에 무엇이 알맞은지 생각해 보세요.

2 다음 문장의 빈칸에 들어갈 알맞은 말을 보기 에서 각각 찾아 쓰세요.

> 보기
>
> 왜냐하면   비록   만약

(1) ⬚⬚⬚⬚⬚ 일이 복잡하지 않다면 금방 끝낼 수 있다.

(2) 나는 배가 부르다. ⬚⬚⬚⬚⬚ 점심을 많이 먹었기 때문이다.

(3) ⬚⬚⬚⬚⬚ 혼자 하기에 힘든 일이지만 보람은 있다.

3 다음 문장에 들어갈 알맞은 말을 각각 골라 ◯표를 하세요.

(1) 아침 일찍 나가 보니 산이 안개에 (덮어 , 덮여) 있었다.

(2) 머리 끈으로 머리를 묶다가 머리 끈이 (끊었다 , 끊겼다).

○ 「멋스럽게 부여를 돌아보는 법」의 글쓴이가 소개한 순서대로 각 장소에 있는 글자를 합치면 어떤 말이 만들어지는지 빈칸에 알맞은 말을 쓰세요.

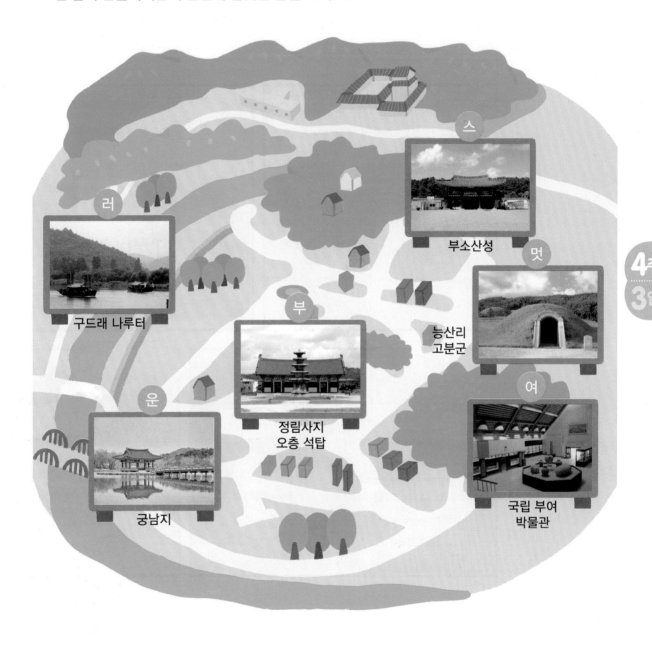

4주
3일

「멋스럽게 부여를 돌아보는 법」의 글쓴이가 소개한 순서대로 각 장소에 있는 글자를 모두 합 치면 ☐☐☐☐☐ 라는 말이 만들어져요.

 「멋스럽게 부여를 돌아보는 법」의 내용을 떠올리며 **글쓴이가 다녀온 장소**를 순서대로 찾아봅니다.

언어 (비문학)

어려울 때 친구가 진짜 친구!

공부한 날   월   일

낱말의 뜻
짐작하기에 대해
자세히 알아보기

천재 학습 백과

낱말의 뜻을 짐작하며 글을 읽어라!

낱말의 뜻을 짐작해 보며 「어려울 때 친구가 진짜 친구!」를 읽어 보아요.

글에서 찾을 수 있는 단서를 확인하거나, 앞뒤 문장이나 낱말을 살펴보면

낱말의 뜻을 짐작할 수 있어요.

● 오늘 공부할 글의 그림을 미리 보고, 빈칸에 알맞은 낱말을 각각 찾아 쓰세요.

4주
4일

| 비난 | 견원지간 | 무능 | 죽마고우 |

옛날 중국의 관리였던 관중과 포숙은 ❶ [   ] (으)로 둘도 없는 친

↳ 어릴 때부터 같이 놀며 자란 가까운 친구.

구 사이였어요. 최고의 벼슬자리에 오른 관중은 모든 것이 자신을 알아준 포숙의 덕이라고

말했어요. 포숙은 관중을 욕심쟁이, 겁쟁이라고 ❷ [   ] 하지 않았고, 벼슬자리에서

↳ 남의 잘못이나 모자란 점에 대하여 나쁘게 말함.

여러 번 쫓겨나도 관중을 ❸ [   ] 하다고 생각하지 않았기 때문이에요. 이 두 친

↳ 어떤 일을 해결하는 능력이 없음.

구의 이야기에서 생겨난 말인 '관포지교'는 어떤 뜻을 가지고 있을까요?

관포지교와 뜻이
비슷한 한자 성어
알아보기

어려울 때 친구가 진짜 친구!

스스로 독해

'관포지교'의 뜻은 무엇일까요? 점선 부분을 따라 선을 그으며 읽고 그 뜻을 짐작할 수 있는 단서와 실제 낱말의 뜻을 확인해 보세요.

옛날 중국에 관중과 포숙이라는 두 관리가 서로 다른 왕자를 모시고 있었다. 이들은 죽마고우로 두 왕자 사이에 다툼이 일어나 관중이 죽을 위기에 처하게 되었을 때 관중은 포숙의 지혜로 위기를 넘기기도 하였다. 후에 최고의 벼슬자리에 오른 관중은 모든 것이 친구 포숙의 덕이라고 말하였다.

"포숙과 장사를 같이 할 때 이익이 생기면 늘 내가 더 많이 차지했었지. ⊙ 그는 나를 욕심쟁이라고 하지 않았다. 친구는 내가 가난하다는 걸 알고 있었기 때문이다. 또 한 번은 내가 잘못하여 그를 궁지에 빠뜨렸는데, 그때도 나를 비난하지 않았다. 일을 하다 보면, 실패할 수도 있다는 것을 친구는 알고 있었기 때문이다. 또 내가 벼슬자리에서 세 번이나 쫓겨났는데도, 나를 무능하다고 하지 않았다. 내게 운이 따르지 않는다는 걸 친구는 알고 있었기 때문이다. 어디 그뿐인가? 내가 싸움터에서 도망친 적이 한두 번이 아니었지만, 나를 겁쟁이라고 하지 않았다. 그것은 나 혼자 살기 위해서가 아니라 고향에 계시는 늙은 어머님 때문이라는 걸 친구는 알고 있었기 때문이다.

나를 낳아 준 분은 부모이지만 나를 알아준 사람은 포숙이다."

이때부터 생겨난 '관포지교(管鮑之交)'란 말은 관중과 포숙의 사귐이란 뜻으로, 서로 이해하고 믿는 깊은 우정, 또는 그런 친구를 뜻한다.

어휘 풀이

- **죽마고우**|대 죽 竹, 말 마 馬, 옛 고 故, 벗 우 友| 대나무로 만든 말을 타고 놀던 친구라는 뜻으로, 어릴 때부터 같이 놀며 자란 가까운 친구. 예 승규와 지수는 한 동네에서 자란 죽마고우 사이이다.
- **이익**|이로울 이 利, 더할 익 益| 물질적으로나 정신적으로 보탬이 되는 것. 예 장사가 잘되어 이익을 얻다.
- **궁지**|다할 궁 窮, 땅 지 地| 매우 곤란하고 어려운 일을 당한 처지. 예 사냥꾼을 만난 사슴이 궁지에 몰렸다.
- **무능**|없을 무 無, 능할 능 能| 어떤 일을 해결하는 능력이 없음. 예 그는 고장 난 물건을 고치는 일에는 영 무능하다.

1
문법

┌─────┐
│ ㉠ │ 안에 들어갈 알맞은 말을 골라 ○표를 하세요.
└─────┘

(그래서 , 하지만 , 즉)

힌트
빈칸의 앞뒤 문장의 관계를 보고,
알맞은 말을 골라 보세요.

2
이해

이 글의 내용으로 알맞지 <u>않은</u> 것은 무엇인가요? (   )

① 관중은 최고의 벼슬자리에 올랐다.

② 관중과 포숙은 장사를 같이 했었다.

③ 관중과 포숙은 매우 가까운 친구 사이이다.

④ 포숙은 관중을 궁지에 빠뜨린 일이 있었다.

⑤ 포숙은 관중을 무능하다고 생각하지 않았다.

4주
4일

3
이해

서술형

포숙이 싸움터에서 도망친 관중을 겁쟁이라고 하지 않은 까닭은 무엇인지 쓰세요.

┌──┐
│ 관중이 자신 혼자 살기 위해서가 아니라 _____   │
│   │
│ _____ 때문에 도망쳤다는 것을 포숙이 알고 있었기 때문이다. │
└──┘

4
요약

스스로 독해 해결!

이 글에서 '관포지교'의 뜻이 무엇인지 짐작할 수 있는 단서와 그 낱말의 뜻을 정리하여
빈칸에 알맞은 말을 각각 쓰세요.

글에서 찾을 수 있는 단서	'관포지교'의 뜻
관중은 자신을 알아준 사람이 ❶ ☐☐ 이었음을 이야기하며, 최고의 자리에 오른 것이 모두 그의 ❷ ☐ 이라고 말하였다.	'관중과 포숙의 사귐'이란 뜻으로, 서로 이해하고 믿는 깊은 ❸ ☐☐ , 또는 그런 친구를 뜻한다.

→

기초 집중 연습으로 어휘력 튼튼

▶ 정답 및 해설 29쪽

1 보기 에서 '터'의 뜻을 보고 빈칸에 알맞은 말을 각각 쓰세요.

보기

터

'자리'나 '장소'의 뜻을 나타내는 말.
예 싸움터: 싸움이 벌어진 곳.

(1) ☐ ☐ 터

(2) ☐ ☐ 터

2 다음 문장을 보고 높임의 뜻이 있는 낱말을 빈칸에 각각 쓰세요.

(1) 그것은 고향에 ☐ ☐ ☐ 늙은 어머님 때문이라는 걸 친구는 알고 있었기 때문이다.
　　→ '있는'의 높임말.

(2) 나를 낳아 준 ☐ 은 부모이지만 나를 알아준 사람은 포숙이다.
　　→ '사람'을 높여서 이르는 말.

3 다음 낱말들의 뜻과 반대말을 보고, 문장에 알맞은 낱말을 골라 각각 ○표를 하세요.

손해　물질적으로나 정신적으로 해를 입음. ⬌ 이익

유능　어떤 일을 남들보다 잘하는 능력이 있음. ⬌ 무능

(1)
병재는 무엇이든지 하나씩 배워 두면 나중에 자신에게 (손해 , 이익)이/가 될 것 같아서 올해 수영을 배우기 시작했다.

(2)
승희는 시험을 잘 보지 못한 자신이 (무능 , 유능)하다며 우울해하였다.

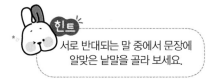

힌트
서로 반대되는 말 중에서 문장에 알맞은 낱말을 골라 보세요.

● 전통적으로 내려오는 세 가지 기본적인 원칙과 다섯 가지의 도리를 말하는 '삼강오륜'의 일부를
나타낸 그림을 가지고 빙고 게임을 하려고 해요. 다음 규칙 에 맞게 빙고 세 줄을 완성하세요.

규칙

가로, 세로, 대각선의 같은 줄에 같은 그림이 있으면 빙고 한 줄이 완성됩니다.

 빙고 세 줄을 완성하려면 ✿이 그려진 칸에 어떤 그림이 들어가야 할지 골라 번호에 ○표
를 하세요. 그리고 그림이 뜻하는 내용도 읽어 보세요.

(1)	(2)	(3)
부자유친: 아버지와 자식 사이에는 친함이 있어야 함.	장유유서: 어른과 아이 사이에는 차례와 질서가 있어야 함.	붕우유신: 친구 사이에는 믿음이 있어야 함.

 「어려울 때 친구가 진짜 친구」를 읽고 친구 사이의 믿음 등 **사람 사이에 지켜야 할 도리를 다룬 삼강오륜**에 대해 알아봅니다.

스마트도서관 이용 안내

공부한 날   월   일

 **에 주목하라!**

이용 안내문에는 어떤 대상에 대한 많은 정보들이 들어 있어요.

「스마트도서관 이용 안내」를 읽고 스마트도서관을

언제, 어디에서, 어떻게 이용할 수 있는지 살펴보아요.

● 오늘 공부할 글의 사진을 미리 보고, 빈칸에 알맞은 낱말을 보기 에서 각각 찾아 쓰세요.

보기

서가   문의   무인

❶

사람이 없음.

㉠ 365일 24시간 ○○으로 운영되는 도서 대출·반납 서비스입니다.

❷

문서나 책 따위를 얹어 두거나 꽂아 두도록 만든 선반.

㉠ ○○에서 책을 빼서 대출할 수 있습니다.

❸

물어서 의논함.

㉠ ○○ 사항이 있으시면 도서관으로 연락 하시기 바랍니다.

도서관 에티켓에
대해 알아보기

스스로 독해

어떤 정보에 주목하며 이용 안내문을 읽어야 할까요? ✓를 따라 표시를 하고 그 부분에서 설명하는 내용을 읽으며 언제, 어디에서, 어떻게 이용할 수 있는지 살펴보아요.

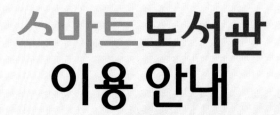

스마트도서관 이용 안내

우리역 스마트도서관이란?

365일 24시간 무인으로 운영되는 도서 대출·반납 서비스로, 도서관 방문 없이 쉽고 ㉠편리하게 이용하실 수 있습니다.

이용 안내

※ 대상: 우리시 통합 도서관 회원증 소지자
※ 시간: 365일 24시간(연중무휴)
※ 대출 권수 및 기간: 1인 2권, 14일
　(반납일을 초과하는 경우, 초과한 일수만큼 대출이 정지됩니다.)
※ 도서 반납: 우리역 매점 옆 스마트도서관

이용 순서

회원증 스캔 → 비밀번호 입력 → 대출/반납하는 서가 선택

→ 서가에서 책을 빼거나 넣기 → 대출/반납할 도서 확인 → 대출/반납 확인증 출력

유의 사항

문의 사항이 있으시면 도서관으로 연락하시기 바랍니다.
(☎ 1234-○△□◎)

어휘 풀이

▽ **무인**|없을 무 無, 사람 인 人| 사람이 없음. 예 도로에 <u>무인</u> 감시 카메라가 설치되어 있다.

▽ **연중무휴**|해 연 年, 가운데 중 中, 없을 무 無, 쉴 휴 休| 일 년 내내 하루도 쉬는 날이 없음.
　예 그 가게는 <u>연중무휴</u>로 운영된다.

▽ **초과**|넘을 초 超, 지날 과 過| 일정한 수나 한도 따위를 넘음. 기준에 해당하는 범위에 포함되지 않으면서 그 위인 경우를 가리킴. 예 10까지의 수에서 7을 <u>초과</u>하는 수는 8, 9, 10이다.

▽ **서가**|글 서 書, 시렁 가 架| 문서나 책 따위를 얹어 두거나 꽂아 두도록 만든 선반. 예 <u>서가</u>에 많은 책이 꽂혀 있다.

▽ **문의**|물을 문 問, 의논할 의 議| 물어서 의논함. 예 이용 안내에 대한 전화 <u>문의</u>가 이어졌다.

1
어휘

㉠'편리하게'와 뜻이 반대인 낱말은 무엇인가요? (   )

① 빠르게   ② 알맞게   ③ 간편하게

④ 불편하게   ⑤ 행복하게

> **힌트**
> '편리하게'는 '편하고 이로우며 이용하기 쉽게.'라는 뜻이에요.

2
이해

[서술형]

도서 반납일을 초과하는 경우 어떤 규칙이 적용된다고 하였는지 쓰세요.

> 도서 반납일을 초과하는 경우, 초과한 일수만큼 _____
> 된다.

3
이해

안내문에 나타난 스마트도서관 이용 순서를 보고, 알맞은 순서에 맞게 번호를 쓰세요.

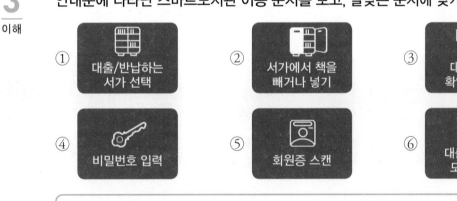

① 대출/반납하는 서가 선택
② 서가에서 책을 빼거나 넣기
③ 대출/반납 확인증 출력
④ 비밀번호 입력
⑤ 회원증 스캔
⑥ 대출/반납할 도서 확인

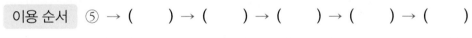

이용 순서   ⑤ → (   ) → (   ) → (   ) → (   ) → (   )

4
요약

스스로 독해 [해결!]

스마트도서관의 이용 방법을 정리하여 빈칸에 알맞은 말을 각각 쓰세요.

> 우리역 매점 옆에 위치한 ❶ [   ][   ][   ][   ][   ] 은 365일 24시간
> 연중무휴로 운영되며 대출과 반납이 모두 가능하다. ❷ [   ][   ][   ] 을 스캔한
> 후 비밀번호를 입력하고 대출/반납 서가를 선택한다. 그리고 ❸ [   ][   ] 에서 책
> 을 빼거나 넣고 도서를 확인해서 확인증을 출력하면 된다.

▶ 정답 및 해설 30쪽

1 다음 뜻을 가진 낱말을 보기 에서 각각 찾아 쓰세요.

> 보기
>
> 이용   문의   유의   무인

(1) 대상을 필요에 따라 이롭게 씀. ➡ ☐ ☐

(2) 마음에 새겨 두어 조심하며 관심을 가짐. ➡ ☐ ☐

2 다음 보기 의 낱말의 뜻을 살펴보고 빈칸에 들어갈 알맞은 말을 각각 찾아 쓰세요.

> 보기
>
> **초과** 일정한 수나 한도 따위를 넘음.   **미만** 정한 수나 정도에 차지 못함.

(1) 높이가 3미터를 ☐☐ 한 차는 터널을 통과할 수 없다.

(2) 키가 120센티미터 ☐☐ 인 사람은 바이킹을 이용할 수 없다.

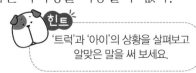

힌트
'트럭'과 '아이'의 상황을 살펴보고 알맞은 말을 써 보세요.

3 다음 빈칸에 들어갈 알맞은 낱말을 각각 찾아 선으로 이으세요.

(1) 도서관에 ☐ ☐ 하여 책을 반납했다.   ·

   · ① **소지** 물건을 지니고 있는 일.

(2) 학생증을 ☐ ☐ 하면 할인을 받을 수 있다.   ·

   · ② **방문** 어떤 사람이나 장소를 찾아가서 만나거나 봄.

● 도서관에서는 많은 책들을 직접 볼 수 있고, 읽고 싶은 책을 빌릴 수 있어요. 다음 도서관의 모습을 살펴보면서 숨은 그림을 찾아 ○표를 해 보아요.

 찾아야 할 그림: 주걱, 컵, 자, 당근, 빨대

 「스마트도서관 이용 안내」의 내용을 떠올리며 **책을 빌려 볼 수 있는 도서관의 모습**을 더 알아봅니다.

누구나 100점 테스트

[1~3] 다음 글을 읽고, 물음에 답하세요.

> (가) 수도 사이공이 무너졌다는 소식이 들려오자 엄마의 얼굴은 ⊙흙빛으로 변했어. 포병으로 입대하여 적군과 싸웠던 아빠는 영영 소식이 없었지. 우리는 마을을 점령한 군인들에게 집을 빼앗기고 거리로 쫓겨났어.
>
> (나) 내 상처가 어느 정도 아문 후 엄마는 조용히 짐을 쌌어. 우리를 앉혀 놓고 살아남으려면 이 나라를 탈출해야 한다고 담담한 목소리로 말했어. 끊임없이 쿨럭이는 엄마의 기침에 피가 섞였어.
>
> 바닷가는 이미 베트남을 탈출하려는 사람들로 아수라장이었어. 뗏목 위의 밀짚모자를 쓴 아저씨가 휘엔과 나를 차례로 번쩍 들어 태웠어.
>
> 엄마는 뗏목에 타는 대신 끼고 있던 묵주를 잽싸게 내 팔목에 채워 줬어.

1 '나'가 처한 상황으로 알맞지 <u>않은</u> 것은 무엇인가요? ( )

① 엄마가 편찮으시다.
② 수도 사이공이 무너졌다.
③ 아빠가 집으로 돌아왔다.
④ 군인들이 마을을 점령했다.
⑤ 집을 빼앗기고 거리로 쫓겨났다.

2 이 글에서 일어난 중심 사건은 무엇인지 빈칸에 알맞은 나라 이름을 쓰세요.

- [   ]을/를 탈출하려고 엄마가 '나'와 휘엔을 뗏목에 태웠다.

3 ⊙은 얼굴이 어떤 표정으로 되었다는 말인가요? ( )

① 기쁜 표정
② 졸린 표정
③ 지루한 표정
④ 안심하는 표정
⑤ 어둡고 굳은 표정

[4~5] 다음 글을 읽고, 물음에 답하세요.

> 우리 몸이 앞뒤로 왔다 갔다 움직이는 것은 '관성' 때문이야. 관성은 물체가 처음의 운동 상태를 계속 유지하려는 성질이야. 앞으로 운동하던 물체는 계속 앞으로 나아가려고 하고, 멈춰 있던 물체는 계속 멈추려고 하지.
>
> 그래서 차를 타고 쭉 달리다 차가 멈추면 몸이 [⊙   ] 되는 거야. 자동차가 가던 방향으로 몸이 계속 가려고 하기 때문이지. 반대로 멈췄던 차가 다시 앞으로 출발할 경우, 몸은 지금까지 그대로 있었던 것을 유지하려고 해. 따라서 몸이 뒤로 쏠리게 되지.

4 '관성'은 무엇인지 알맞은 것에 ○표를 하세요.

(1) 물체의 운동이 빨라지는 성질 (   )
(2) 물체가 처음의 운동 상태를 계속 유지하려는 성질 (   )
(3) 회전하는 물체가 중심에서 바깥으로 나아가려는 성질 (   )

5 이 글에서 설명한 내용으로 보아 [⊙] 안에 들어갈 말로 알맞은 것은 무엇인가요? ( )

① 주저앉게
② 뒤로 쏠리게
③ 회전하게
④ 앞으로 쏠리게
⑤ 반드시 넘어지게

[6~7] 다음 글을 읽고, 물음에 답하세요.

부여 답사는 답사 순서와 시간대를 잘 정하는 게 아주 중요합니다. 내가 수십 번의 실패를 거듭한 끝에 만든 부여 답사의 모범 답안을 여러분께 알려 드리지요. 서울에서 출발하든 광주 혹은 대구에서 출발하든, 또 공주를 거쳐 오든 오후 서너 시에는 부여 입구에 있는 능산리 고분군에서 답사를 시작해야 합니다.

6 글쓴이는 부여를 답사할 때 무엇과 무엇이 중요하다고 했나요? (   )

① 숙소   ② 교통수단   ③ 답사 순서

④ 시간대   ⑤ 같이 가는 사람

7 이 글에서 글쓴이는 부여 답사를 어떻게 하라고 했는지 알맞은 말을 골라 ○표를 하세요.

• 부여 (1) (입구 , 중심)에 있는 능산리 고분군에서 답사를 (2) (끝내야 , 시작해야) 한다.

[8~9] 다음 글을 읽고, 물음에 답하세요.

(가) 최고의 벼슬자리에 오른 관중은 모든 것이 친구 포숙의 덕이라고 말하였다.

"포숙과 장사를 같이 할 때 이익이 생기면 늘 내가 더 많이 차지했었지. 하지만 그는 나를 욕심쟁이라고 하지 않았다. 친구는 내가 가난하다는 걸 알고 있었기 때문이다."

(나) "나를 낳아 준 분은 부모이지만 나를 알아준 사람은 포숙이다."

이때부터 생겨난 '   ㉠   '란 말은 관중과 포숙의 사귐이란 뜻으로, 서로 이해하고 믿는 깊은 우정, 또는 그런 친구를 뜻한다.

8 관중이 더 많은 이익을 차지해도 포숙이 관중을 욕심쟁이라고 하지 않은 까닭은 무엇인지 빈칸에 알맞은 말을 찾아 쓰세요.

• 관중이 [   ]는 걸 알고 이해했기 때문이다.

9 ㉠ 안에 들어갈 말로 알맞은 것에 ○표를 하세요.

(죽마고우 , 애지중지, 관포지교)

10 다음 글을 읽고, 우리역 스마트도서관에 대해 잘못 이해한 것은 무엇인가요? (   )

우리역 스마트도서관이란?

365일 24시간 무인으로 운영되는 도서 대출·반납 서비스로, 도서관 방문 없이 쉽고 편리하게 이용하실 수 있습니다.

※대상: 우리시 통합 도서관 회원증 소지자

※시간: 365일 24시간(연중무휴)

※대출 권수 및 기간: 1인 2권, 14일
(반납일을 초과하는 경우, 초과한 일수만큼 대출이 정지됩니다.)

① 공휴일에도 운영된다.

② 밤에도 이용할 수 있다.

③ 한 사람이 책을 14권까지 대출할 수 있다.

④ 우리시 통합 도서관 회원증이 있으면 누구나 이용할 수 있다.

⑤ 반납일을 이틀 지나 반납하면 이틀 동안 책을 대출할 수 없다.

창의 1

다음 만화를 읽고, 4주차에서 배운 낱말을 떠올려 어휘 퀴즈에 알맞은 낱말을 빈칸에 각각 쓰세요.

▶ 정답 및 해설 31쪽

4주
특강

🐻 **어휘 퀴즈**

❶ '외딴 곳에 있어 고요하다.'를 뜻하는 말은? →

❷ '물질적으로나 정신적으로 보탬이 되는 것.'을 뜻하는 말은? →

❸ '우주인이 타지 않은 ○○ 우주 탐사선을 화성에 발사했다.'의 빈칸에 들어갈 알맞은 말은?

→

코딩

2 훈이가 스마트도서관에서 책을 빌리려고 해요. 다음 코딩 명령을 따라가서 도착하는 역에만 스마트도서관이 있어요. 훈이가 가야 하는 역은 어디인지 이름을 쓰세요.

코딩 명령

▶ 시작하기 버튼을 클릭했을 때
↓ 방향으로 3칸 이동하기 ⇄
→ 방향으로 2칸 이동하기 ⇄
↑ 방향으로 2칸 이동하기 ⇄

코딩 명령 풀이
아래쪽으로 세 칸,
오른쪽으로 두 칸,
위쪽으로 두 칸 이동해요.

 훈이가 가야 하는 역은 스마트도서관이 있는 　　　　　 역이에요.

융합

3 한솔이가 답사에 함께 가자는 초대장을 받았어요. 암호 풀이를 보고, 초대장에서 기호로 된 암호를 풀어 백제 역사 유적 지구는 어느 지역인지 쓰세요.

➤ 초대장 ➤

'백제 역사 유적 지구' 답사에 초대합니다.
백제의 도읍지들과 관련 있는 □♥, ■◑, ♣★의 유적지들을
묶어 '백제 역사 유적 지구'라고 해요. 백제의 문화유산이 많이
남아 있는 이곳은 유네스코 세계 문화유산으로 지정되었어요.

공산성
송산리 고분군

관북리 유적·부소산성
능산리 고분군
정림사지
나성

황해

왕궁리 유적
미륵사지

〈암호 풀이〉

★ㅡ산　　□ㅡ공
◑ㅡ여　　♥ㅡ주
♣ㅡ익　　■ㅡ부

남해

한솔

백제의 도읍지들과 관련 있는 (1) [□♥] , (2) [■◑] , (3) [♣★] 의 유적

지들을 묶어 '백제 역사 유적 지구'라고 해요.

창의

4

생활 어휘

공원 공사 안내문을 보고 알맞은 말에 각각 ○표를 하세요.

공원 시설 정비 공사 안내

공원 정문에 안내문이 붙어 있네? 무슨 일인지 읽어 보자.

정비? 공원 시설을 어떻게 한다는 말이지?

노후한 시설의 교체 작업으로 인하여 공원 정문을 통제하오니 시설 이용에 착오 없으시길 바랍니다.

공사 기간 동안 최대한 불편함이 없도록 소음과 먼지 등에 대해 철저히 관리하며 안전, 신속하게 공사를 진행하겠습니다. 불편을 드려 죄송합니다.

우리 공원 안내 사무소

애들아! 공원 시설을 정비한다는 것은 시설이 제 기능을 하도록 (1) (정리하는 , 버리는) 것을 말해. 공원의 시설 중에서 (2) (새로운 , 오래된) 것들을 바꾸는 작업을 한대. 안전하고 (3) (빠르게 , 느리게) 공사한다고 하니 조금만 기다렸다가 이용하도록 하자.

어휘 풀이

▼**정비**|가지런할 정 整, 갖출 비 備| 도로나 시설 따위가 제 기능을 하도록 정리함.
　　예 도서관 시설의 정비로 도서관을 한동안 이용할 수 없었다.

▼**노후**|늙을 노 老, 썩을 후 朽| 제구실을 하지 못할 정도로 낡고 오래됨. 예 세탁기가 노후하여 빨래가 잘되지 않는다.

▼**착오**|섞일 착 錯, 그릇할 오 誤| 착각을 하여 잘못함. 예 계획한 일이 착오 없이 잘 풀려 간다.

▼**신속**|빠를 신 迅, 빠를 속 速| 매우 날쌔고 빠름. 예 우리 동네 중국집은 신속 배달로 유명하다.

▶ 정답 및 해설 31쪽

창의
5
생활 한자

無(없을 무) 자에 대해 알아보고, 다음 물음에 답하세요.

없을 **무**

없을 무

無 자는 양팔에 깃털을 들고 춤추는 모습을 그려서 '없다'라는 뜻을 표현한 글자예요.

(1) 無 자가 들어간 낱말을 알아보고, 한자의 음을 쓰세요.

① 無人島는 사람이 살지 않는 섬을 가리킨다.

인	도

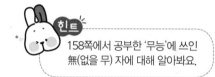
힌트
158쪽에서 공부한 '무능'에 쓰인 無(없을 무) 자에 대해 알아봐요.

4주
특강

② 도서관에서는 휴대 전화를 진동이나 無音 상태로 바꿔야 한다.

	음

(2) 한자 성어의 뜻을 알아보고, 빈칸에 알맞은 한자를 쓰세요.

感 慨 無 量
느낄 **감** 분개할 **개** 없을 **무** 헤아릴 **량**

마음속에서 느끼는 감동이나 느낌이 끝이 없음. 또는 그 감동이나 느낌.

• 광복을 맞은 독립운동가들이 感 慨 量 (감개무량)하여 눈물을 흘렸다.

똑똑한 하루 독해 한권 끝!

독해 공부 하느라 수고했어요.
약속을 잘 지켰는지 돌아보고 ○표를 하세요.

약속한 사람 _____

첫째, 하루하루 빠짐없이 꾸준히 공부했나요?　　　　　　예　　아니요

둘째, 하루 독해 문제를 끝까지 다 풀었나요?　　　　　　예　　아니요

셋째, 틀린 문제는 왜 틀렸는지 다시 한번 확인했나요?　　예　　아니요

약속을 잘 지키지 못한 부분은 스스로 돌아보고,
다음 단계를 공부할 때에는 더 열심히 해 봐요!

그럼, 다음 책으로 고고!

천재교육

빠른 정답이 들어 있어요!

똑똑한
하루
독해

정답 및 해설

6 단계
A
5~6학년

천재교육

정답과 해설
포인트 **3**가지

▶ 혼자서도 이해할 수 있는 친절한 문제 풀이

▶ 문제 해결에 도움을 주는 '더 알아보기'와
   틀린 부분을 짚어 주는 '왜 틀렸을까?'

▶ 예시 답안과 채점 기준 제시로 서술형 문항 완벽 대비

똑똑한 하루 독해

정답 및 해설

빠른 정답

010쪽~011쪽

1주에는 무엇을 공부할까? ②

1-1 요소 **1-2** (2) ○

2-1 (3) ○ **2-2** 자금

012쪽~017쪽

1주 1일

독해 미리 보기

❶ 증손녀 ❷ 요행 ❸ 조약돌

독해

1 (1) ○ **2** 개울둑에 앉아 버렸다. 등

3 (2) ○ **4** ❶ 소녀 ❷ 소년 ❸ 조약돌

독해 어휘

1 (2) ○ **2** (1) ① (2) ② **3** 허탕

독해 게임

증조부

018쪽~023쪽

1주 2일

독해 미리 보기

❶ 대피 ❷ 도난 ❸ 도피

독해

1 (1) 중시 (2) 경시 **2** 안전, 신용

3 1층에 위치하기 등 **4** ❶ 도난 ❷ 문 ❸ 안쪽

독해 어휘

1 (1) 전제 (2) 배제 **2** (1) ❶ 재난 ❷ 대피

(2) 도난 **3** (1) ② (2) ①

독해 게임

식 3 + 3 − 5 + 7 = 답 8

024쪽~029쪽

1주 3일

독해 미리 보기

❶ 봄날 ❷ 결혼식 ❸ 팔짱

독해

1 ㉢ **2** 손을 잡는다. 등 **3** (2) ○

4 ❶ 집 ❷ 사진 ❸ 햇살

독해 어휘

1 졸업식 **2** (1) ② (2) ①

독해 게임

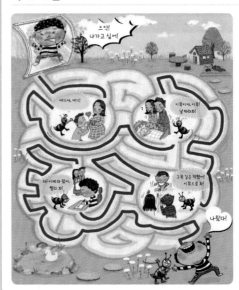

030쪽~035쪽

1주 4일

독해 미리 보기

1 감시 **2** 변장 **3** 망명

독해

1 나라를 사랑하는 마음 등 **2** (2) ○

3 소희 **4** ❶ 일본 ❷ 임시 정부 ❸ 자금

독해 어휘

1 (1) 불가능 (2) 불규칙

2 (1) ○ (3) ○

독해 게임

독립

036쪽~041쪽 1주 5일

독해 미리 보기
❶ 심사 ❷ 선택 ❸ 제출일

독해
1 (1) 필수 과제 등 (2) 선택 과제 등   2 동현
3 ❶ 필수 ❷ 체육 ❸ 일곱

독해 어휘
1 (1) 괄람 (2) 물랄리   2 제외
3 (1) 크기 (2) 굵기

독해 게임

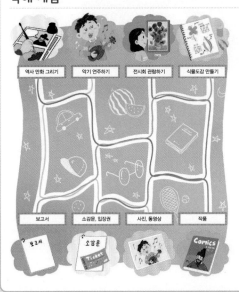

042쪽~043쪽 누구나 100점 테스트

1 (2) ○   2 강재   3 ④   4 ③
5 (3) ○   6 ㉢   7 (1) 결혼식 사진 (2) 순수하다
8 상하이   9 ②   10 (2) ×

044쪽~049쪽 1주 특강

1 ❶ 배제 ❷ 허탕 ❸ 신용
2 ❷ 2 ❸ 1 ❺ 1
3 신발 장수
4 (1) 정확히 (2) 붙어 (3) 맺고
5 (1) ① 초 등 ② 초 보
(2) 初 志 一 貫

052쪽~053쪽 2주에는 무엇을 공부할까? ❷

1-1 회상   1-2 (2) ○
2-1 (3) ○   2-2 급격

054쪽~059쪽 2주 1일

독해 미리 보기
❶ 노예 ❷ 농장 ❸ 상인

독해
1 귀띔해   2 레글리(자신)의 명령을 끝까지 등
3 ①, ③   4 ❶ 톰 ❷ 명령 ❸ 채찍질

독해 어휘
1 (1) 아름 (2) 움큼
2 (1) 가난뱅이 (2) 게으름뱅이

독해 게임

빠른
정답

빠른 정답

060쪽~065쪽   2주 2일

독해 미리 보기

1 첫선   **2** 열광   **2** 탄력

독해

1 ②   **2** ④, ⑤   **3** 탄력이 뛰어났기 등

4 ❶ 구   ❷ 정오각형   ❸ 축구공

독해 어휘

1 (1) 띄게   (2) 띠고

2 (1) 구   (2) 오각형   (3) 육각형

독해 게임

8자

독해 게임

066쪽~071쪽   2주 3일

독해 미리 보기

❶ 철없던   ❷ 비상   ❸ 섶

독해

1 ①   **2** 누에 다섯 마리를 등   **3** ①, ④

4 ❶ 누에   ❷ 재주   ❸ 교만

독해 어휘

1 (1) 마치   (2) 백설 공주라면   (3) 포기하지 않고

2 (1) 비범한   (2) 오만하고

독해 게임

누에고치

078쪽~083쪽   2주 5일

독해 미리 보기

❶ 착용   ❷ 시야   ❸ 중지

독해

1 (1) ○   **2** ⑤   **3** 주위 물건을 이용하고 등

4 ❶ 준비   ❷ 보호자   ❸ 쥐

독해 어휘

1 (1) 안중   (2) 시야

2 (1) [칼랄]   (2) [괄리]   (3) [판단녁]   (4) [등산노]

독해 게임

깊은 수심 주의

084쪽~085쪽   누구나 100점 테스트

1 노예   **2** (2) ○   **3** (2) ×   **4** 열광

5 ⑤   **6** (1) ×   **7** (1) 흑인들 (2) 차별받지

8 (2) ○   **9** ③   **10** ①, ②, ④

072쪽~077쪽   2주 4일

독해 미리 보기

1 불의   **2** 억압   **3** 인격

독해

1 여전히 노예 시절과 다름없었다. 등   **2** 오아시스

3 ④   **4** ❶ 노예   ❷ 흑인   ❸ 연설

독해 어휘

1 (1) 유료   (2) 유죄   (3) 유식   (4) 유익

2 (1) 깨끗이, 쓸쓸히   (2) 나란히

086쪽~091쪽   2주 특강

1 ❶ 초과   ❷ 교만   ❸ 불의

2 (2) ○

3 (1) $\frac{2}{4}$ (2) $\frac{1}{4}$ (3) 2

4 (1) 열었다 (2) 살지 않는

5 (1) ① 대 립 ② 입 증

(2) 立 身 揚 名

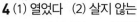

3주

3주에는 무엇을 공부할까? ❷

1-1 (2) ○　　　　　**1-2** 거래

2-1 뭉쳐서　　　　**2-2** 뭉쳤다

3주 1일

독해 미리 보기

❶ 집산지　　❷ 도매

독해

1 한편　　　**2** 잔치를 하거나 제사를 지낼 때 등

3 ⑤　　　**4** ❶ 안성 ❷ 열 ❸ 십만

독해 어휘

1 (1) 도착 (2) 도매　　**2** (1)-②-ⓛ (2)-①-㉠

3 (3) ○

독해 게임

❶ 공정거래위원회 ❷ 처벌

3주 3일

독해 미리 보기

❶ 밤중　　❷ 깊도록　　❸ 삯바느질

독해

1 (1) ○　　**2** 어서 자거라.　　**3** 채연

4 ❶ 삯바느질 ❷ 이불

독해 어휘

1 (1) 삯바느질 (2) 바느질삯

2 (1) 나무 (2) 따님 (3) 화살

독해 게임

3주 2일

독해 미리 보기

1 반사　　**2** 가장자리　　**3** 불룩한

독해

1 ①　　　**2** 반사, 불룩하다, 직후

3 햇빛을 반사하는 부분 등

4 ❶ 상현달 ❷ 남쪽 ❸ 새벽

독해 어휘

1 (1) ② (2) ① (3) ③　　**2** 대략　　**3** 번개맨

독해 게임

• 정답은 보름달 입니다.

3주 4일

독해 미리 보기

❶ 메주　　❷ 곰팡이　　❸ 숯

독해

1 (3) ○　　**2** 나쁜 냄새를 없애고 등

3 ①, ④, ⑤　　**4** ❶ 콩 ❷ 숯 ❸ 소금

독해 어휘

1 (1) 띄운 (2) 피어요 (3) 묵힐수록　　**2** (2) ○

3 (1) 돼 (2) 되

독해 게임

(1) 띄워서 (2) 싱겁다

빠른 정답

120쪽~125쪽 3주 5일

독해 미리 보기

❶ 옥외   ❷ 붕괴   ❸ 지정된

독해

1 ③

2 (1) 신체를 보호 등   (2) 상황을 살필 수 있는 곳 등

3 ❶ 옥외   ❷ 지역   ❸ 위치

독해 어휘

1 (1) 자연재해   (2) 홍수(가뭄)   (3) 가뭄(홍수)

2 (3) ○   **3** (1) ③   (2) ②   (3) ①

독해 게임

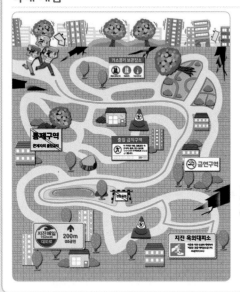

126쪽~127쪽 누구나 100점 테스트

1 ④   **2** (2) ○   **3** (3) ×   **4** 달, 햇빛
5 ×   **6** (1) ×   **7** 메주   **8** ㉢, ㉣, ㉡
9 (2) ○   **10** ③

128쪽~133쪽 3주 특강

1 ❶ 옥외   ❷ 도매   ❸ 직후

2

3 ↑, →
4 (1) 거두어 가는   (2) 어긋나는   (3) 공공
5 (1) ① 방 수   ② 방 지

   (2) 衆 口 難 防

4주

136쪽~137쪽 4주에는 무엇을 공부할까? ❷

1-1 거듭한   **1-2** 거듭
2-1 (2) ○   **2-2** 궁지

138쪽~143쪽 4주 1일

독해 미리 보기

1 아수라장   **2** 뗏목   **3** 묵주

독해

1 ①   **2** 이 나라를 탈출해야 한다 등   **3** ⑤
4 ❶ 군인   ❷ 아수라장   ❸ 묵주

독해 어휘

1 (3) ○   **2** (1) ○

독해 게임

기도

144쪽 ~ 149쪽 4주 2일

독해 미리 보기

❶ 물체   ❷ 유지   ❸ 추

독해

1 ③   2 (3) ○   3 제자리에 있고 등

4 ❶ 관성 ❷ 앞 ❸ 뒤

독해 어휘

1 (2) ○   2 (1) 밀다   (2) 도착하다   (3) 물러서다

(4) 오르다   3 (1) 왔다 갔다 (2) 튕기면

독해 게임

(1) 수평으로 (2) 관성

150쪽 ~ 155쪽 4주 3일

독해 미리 보기

1 답사   2 모범   3 도읍

독해

1 답사 순서와 시간대 등   2 (2) ○   3 ②

4 ❶ 능산리 고분군 ❷ 부소산성 ❸ 궁남지

독해 어휘

1 (1) 든, 든 (2) 던   2 (1) 만약 (2) 왜냐하면

(3) 비록   3 (1) 덮여 (2) 끊겼다

독해 게임

멋스러운 부여

156쪽 ~ 161쪽 4주 4일

독해 미리 보기

❶ 죽마고우 ❷ 비난   ❸ 무능

독해

1 하지만   2 ④   3 고향에 계시는 늙은 어머님

등   4 ❶ 포숙 ❷ 덕 ❸ 우정

독해 어휘

1 (1) 낚 시 터 (2) 놀 이 터

2 (1) 계시는 (2) 분   3 (1) 이익 (2) 무능

독해 게임

(3) ○

162쪽 ~ 167쪽 4주 5일

독해 미리 보기

❶ 무인   ❷ 서가   ❸ 문의

독해

1 ④   2 대출이 정지 등

3 ④ → ① → ② → ⑥ → ③

4 ❶ 스마트도서관 ❷ 회원증 ❸ 서가

독해 어휘

1 (1) 이용 (2) 유의   2 (1) 초과 (2) 미만

3 (1) ② (2) ①

독해 게임

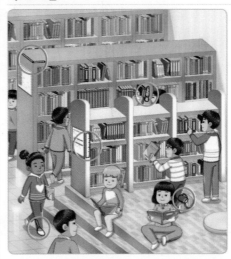

168쪽 ~ 169쪽 누구나 100점 테스트

1 ③   2 베트남   3 ⑤   4 (2) ○

5 ④   6 ③, ④   7 (1) 입구 (2) 시작해야

8 가난하다   9 관포지교   10 ③

170쪽 ~ 175쪽 4주 특강

1 ❶ 호젓하다 ❷ 이익 ❸ 무인

2 무지개

3 (1) 공주 (2) 부여 (3) 익산

4 (1) 정리하는 (2) 오래된 (3) 빠르게

5 (1) ① 무 인 도 ② 무 음

(2) 感 慨 無 量

1-1 요소   1-2 (2) ○
2-1 (3) ○   2-2 자금

1-1 문이 열리는 방향에는 공간의 활용, 비상시 대피 등 여러 조건이 작용하므로 '요소'가 알맞습니다.

1-2 책이 가지고 있는 것은 입체 그림 등 여러 가지 재미있는 요소입니다. '요새'나 '요구'를 넣으면 문장의 뜻이 통하지 않습니다.

2-1 '손바닥의 살갗에 그어져 있는 금.'인 '손금'이나 '길이나 무게 등을 표시하기 위하여 자나 저울 등에 표시해 놓은 선.'인 '눈금'은 알맞지 않습니다.

2-2 삼촌은 결혼을 하는 데 쓸 돈인 결혼 자금을 마련하는 것이 알맞습니다. '벌금'은 '규칙을 어겼을 때나 범죄를 저질렀을 때 벌로 내게 하는 돈.'입니다.

013쪽   똑똑한 하루 독해 미리 보기

❶ 증손녀   ❷ 요행   ❸ 조약돌

014쪽~**015**쪽   똑똑한 하루 독해

1 (1) ○   2 개울둑에 앉아 버렸다. 등
3 (2) ○   4 ❶ 소녀 ❷ 소년 ❸ 조약돌

1 '뜻밖에 얻는 행운.'을 뜻하는 '요행'과 바꾸어 쓸 수 있는 비슷한말은 '뜻밖에 일이 잘되어 운이 좋음.'이라는 뜻의 '다행'입니다.

2 징검다리 한가운데 앉아서 물장난을 하는 소녀를 보고 소년은 비켜 달라는 말도 하지 못하고 소녀가 비키기를 기다리며 개울둑에 앉아 버렸습니다.

> **채점 기준**
> 개울둑에 앉아 있었다는 뜻을 담아 바른 표현으로 썼으면 정답으로 합니다.

3 소년은 징검다리에 앉아서 물장난을 하는 소녀가 비키기를 기다렸습니다. 그러므로 (1)처럼 소년이 소녀를 만나지 못해 슬픈 마음일 것이라고 짐작한 내용은 알맞지 않습니다.

4 이 글에서 누가, 언제, 어디에서, 무엇을 하였는지 정리하여 인물, 사건, 배경을 파악해 봅니다.

016쪽   똑똑한 하루 독해 어휘

1 (2) ○   2 (1) ① (2) ②   3 허탕

1 '징검다리'의 뜻에서 '다리'는 '물을 건너거나 또는 한편의 높은 곳에서 다른 편의 높은 곳으로 건너다닐 수 있도록 만든 시설물.'을 뜻하는 말입니다.

2 시험을 보았지만 '매 때마다' 떨어진 것이므로, ①에는 '번번이'가 들어가야 하고, 울퉁불퉁하던 논의 돌을 모두 치워 '평평하고 번듯하게' 정리한 것이므로 ②에는 '번번히'가 들어가야 합니다.

3 '아무 보람도 없이 애를 씀. 또는 그런 수고.'라는 뜻의 '헛수고'와 '노력이 헛되게 된 상태를 비유적으로 이르는 말.'인 '물거품'과 뜻이 비슷한 말은 '어떤 일을 시도했다가 아무 소득이 없이 일을 끝냄. 또는 그렇게 끝낸 일.'이라는 뜻의 '허탕'입니다.

017쪽   똑똑한 하루 독해 게임

이야기 「소나기」에서 윤 초시의 증손녀인 '소녀'에게 윤 초시는 아버지의 할아버지예요. 위 그림으로 보아, '소녀'에게 윤 초시는 (조부 , <u>증조부</u>)이지요.

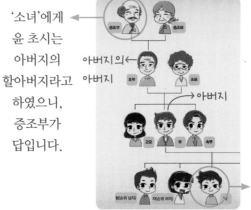

'소녀'에게 윤 초시는 아버지의 할아버지라고 하였으니, 증조부가 답입니다.

'나'의 자리에 '소녀'를 넣어 봅니다.

2일

019쪽

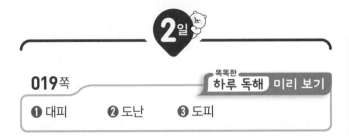

똑똑한 하루 독해 미리 보기

❶ 대피   ❷ 도난   ❸ 도피

020쪽~**021**쪽

똑똑한 하루 독해

1 (1) 중시 (2) 경시

2

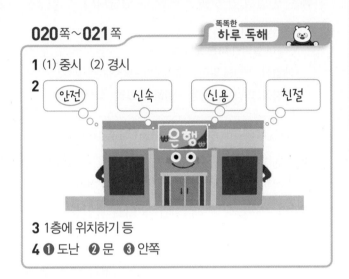

안전   신속   신용   친절

3 1층에 위치하기 등

4 ❶ 도난 ❷ 문 ❸ 안쪽

1 중요하게 여긴다는 뜻이 어울리는 문장 (1)에는 '중시'를 넣고, 대수롭지 않게 여긴다는 뜻이 어울리는 문장 (2)에는 '경시'를 넣습니다.

2 은행은 무엇보다 안전과 신용을 가장 중시하는 곳이라고 하였습니다.

3 은행에서도 화재는 일어날 수 있고, 많은 사람들이 출입하는 공공의 장소이기 때문에 대피에 대한 관심을 완전히 배제할 수는 없다고 하였습니다. 하지만 대부분의 은행이 1층에 위치해 있어서 화재 등이 일어났을 때 외부로 대피하기 쉽다고 하였습니다.

> **채점 기준**
> 1층에 위치하고 있다는 내용을 넣어 명확하게 썼으면 정답으로 합니다.

4 「은행 문은 왜 안쪽으로 열릴까?」라고 제목을 정한 까닭이 잘 드러나게 글의 중요한 내용을 정리하여 봅니다.

> ─(더 알아보기)─
> 글쓴이는 글 전체 내용을 가장 잘 전할 수 있는 내용을 제목으로 정하기 때문에 제목을 보면 어떤 내용을 쓴 글인지 미리 알 수 있습니다.

022쪽

똑똑한 하루 독해   어휘

1 (1) 전제 (2) 배제   **2** (1) ❶ 재난 ❷ 대피
(2) 도난   **3** (1) ② (2) ①

1 '무엇을 이루려고 먼저 내세우는 것.'을 '전제'라고 하고, '물리쳐 제외함.'을 '배제'라고 합니다.

2 두 그림에 어울리는 문장을 완성하기에 알맞은 낱말을 각각 찾아 씁니다. '재난', '도난', '대피'의 의미를 잘 구분하여 각각의 낱말이 들어가야 할 곳을 생각해 봅니다.

3 문이 열리는 방향은 서로 같지 않으므로 '다르다'를 쓰고, 문이 모두 같은 방향으로 열린다는 말은 사실에 맞지 않으므로 '틀리다'라고 씁니다. '다르다'와 '틀리다'는 잘못 쓰기 쉬운 말이므로 쓰임을 통해 꼭 구분해 둡니다.

023쪽

똑똑한 하루 독해   게임

식 3 + 3 − 5 + 7 = 답 8

◉ 앨리스는 집에 오는 동안 세 개의 문을 만났습니다. 그중에서 안여닫이문은 안으로 세 번 당겼고, 밖여닫이문은 밖으로 다섯 번 밀었습니다. 마지막으로 미닫이문은 옆으로 일곱 번을 밀었습니다. 이 과정을 식에 넣어 덧셈과 뺄셈을 하여 봅니다.

3일

❶ 봄날   ❷ 결혼식   ❸ 팔짱

1 ㉢   **2** 손을 잡는다. 등   **3** (2) ○
4 ❶ 집   ❷ 사진   ❸ 햇살

1 ㉢의 '눈부시다'는 읽을 때 [눈부시다]라고 글자 그대로 소리 납니다.

(왜 틀렸을까?)
㉠: '창밖에'는 [창바께]라고 소리 납니다.
㉡: '햇살이'는 [해싸리] 또는 [핻싸리]라고 소리 납니다.

2 이 시의 아이는 엄마 아빠의 결혼식 사진을 보고 그 속으로 들어가는 상상을 하였습니다. 아이의 상상 속에서 신랑 신부인 아빠와 엄마는 아이의 손을 잡아 주었습니다.

채점 기준
신랑 신부인 아빠와 엄마가 아이의 손을 잡는다는 내용이 잘 드러나게 썼으면 정답으로 합니다.

3 이 시를 쓴 시인은 엄마 아빠 결혼식 사진에 들어가고 싶어 하는 아이의 상상이 순수하다는 생각을 전하려고 합니다.

4 시 속에서 아이가 실제로 한 일과 상상한 것, 그리고 그 아이의 생각이나 느낌, 시의 분위기를 생각하며 내용을 정리하여 씁니다.

(더 알아보기)
이 시가 실린 정호승의 시집 『풀잎에도 상처가 있다』에 대해 알아보기
시인이 어린이의 마음으로 돌아가 4년 동안 써 놓은 84편의 동시들이 담긴 시집입니다. 이 동시들은 어린이들뿐만 아니라 어른들도 함께 읽을 수 있습니다.

1 졸업식   **2** (1) ②   (2) ①

1 결혼을 하는 의식이 '결혼식'이므로, 졸업을 하는 의식은 '졸업식'인 것을 짐작할 수 있습니다.

(더 알아보기)
'-식'이 들어간 다른 낱말 예
• **개업식**: 개업을 알리고 축하하기 위하여 하는 의식.
• **송별식**: 떠나는 사람을 이별하여 보내는 의식.

2 '한가운데'에서 '한-'이 '정확한', '한창인'의 뜻을 더해 주는 말인 것을 이해하고, '한여름', '한겨울'이 한창인 여름과 한창인 겨울을 뜻한다는 것을 알 수 있습니다. 이 뜻에 알맞은 그림을 각각 찾아봅니다.

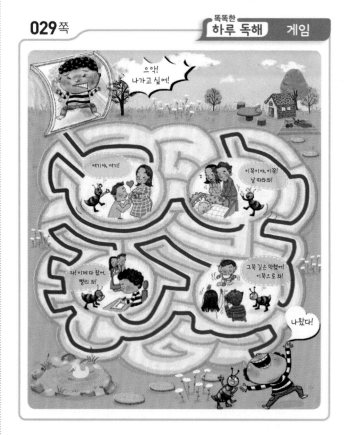

◉ 시 「봄날」에서 개미를 따라 엄마 아빠의 결혼식 사진에 들어간 아이는 어떻게 되었을지 상상을 넓혀 봅니다. 엄마 아빠의 결혼식 이후 아이가 생기고 태어나고 자라는 과정들도 함께 살펴보며 시에서 얻은 감동을 더 깊고 창의적으로 발전시킬 수 있습니다.

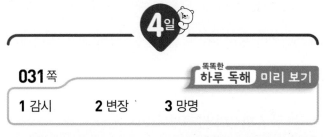

031쪽 — 똑똑한 하루 독해 미리 보기

1 감시 **2** 변장 **3** 망명

032쪽~033쪽 — 똑똑한 하루 독해

1 나라를 사랑하는 마음 등 **2** (2) ○
3 소희 **4 ❶** 일본 **❷** 임시 정부 **❸** 자금

1 김구는 백정이나 평범한 사람도 나라를 사랑하는 마음이 자신과 같다면 우리나라가 완전한 독립을 이룰 수 있다는 생각을 담아 '백범'이라는 호를 지었습니다.

> **채점 기준**
> '백범'에 담긴 뜻을 글에서 잘 찾아 '나라를 사랑하는 마음'이라는 내용이 들어가게 썼으면 정답으로 합니다.

2 '어떤 기준보다 정도가 약하다.'라는 뜻의 '덜하다'와 뜻이 반대인 말은 '어떤 기준보다 정도가 심하다.'라는 뜻의 '더하다'입니다. '덜하다'는 '덜한'으로 모양이 바뀌어 쓰이고, '더하다'는 '더한'으로 모양이 바뀌어 쓰입니다.

> **왜 틀렸을까?**
> (1)에서 '다한'은 '다하다'라는 낱말의 모양이 바뀌어 쓰인 것입니다. '다하다'는 '수명 따위가 끝나다. 또는 생명을 잇지 못하고 끝내다.'라는 뜻입니다.

3 소희는 백범 김구가 임시 정부를 상하이에 세운 까닭에 대하여 자신이 아는 것과 관련지어 글을 읽고 말하였습니다.

> **왜 틀렸을까?**
> 백현은 글 내용에 대하여서만 말하였고, 자신이 아는 것과 관련짓지 못하였습니다.

4 이 글에서 시간의 흐름에 따라 백범 김구가 한 세 가지 일을 정리하여 써 봅니다. 이 글에는 크게 김구가 농촌 계몽 운동을 한 일, 상하이로 망명하여 임시 정부를 만든 일, 임시 정부의 자금을 모은 일이 나타나 있습니다.

034쪽 — 똑똑한 하루 독해 어휘

1 (1) 불가능 (2) 불규칙
2 (1) ○ (3) ○

1 '완전', '가능', '규칙' 등의 낱말 앞에 '불(不)-'을 넣어 쓰면 이 세 낱말과 각각 뜻이 반대인 낱말이 만들어집니다.

> **더 알아보기**
> **'불-'을 넣어 뜻이 반대인 낱말 만들기 ⑩**
> • 공정 ↔ 불공정
> • 균형 ↔ 불균형
> • 명예 ↔ 불명예

2 '피땀 흘리다'는 '온갖 힘과 정성을 쏟아 노력하다.'라는 뜻이어서 (2)와 같은 상황에 사용하는 것은 자연스럽지 않습니다.

> **더 알아보기**
> **'피땀 흘리다'에서 '피땀'의 뜻 알아보기**
> '피땀'은 원래 '피와 땀을 아울러 이르는 말.'인데 '피땀 흘리다'와 같이 쓰이는 경우에는 '무엇을 이루기 위하여 애쓰는 노력과 정성을 비유적으로 이르는 말.'입니다.

035쪽 — 똑똑한 하루 독해 게임

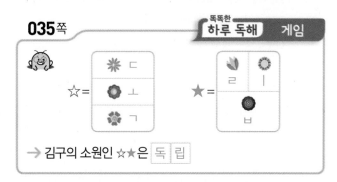

→ 김구의 소원인 ☆★은 독 립

○ 『백범일지』의 「나의 소원」에 나타나 있는 김구의 소원은 대한의 완전한 자주독립입니다.

> **더 알아보기**
> **『백범일지』에 대해 알아보기**
> 『백범일지』는 독립운동가인 백범 김구가 쓴 자서전으로, 김구의 생각과 그의 독립운동 과정, 당시의 시대 상황 등이 생생하게 나타나 있습니다.

5일

037쪽 똑똑한 하루 독해 미리 보기

❶ 심사   ❷ 선택   ❸ 제출일

038쪽~039쪽 똑똑한 하루 독해

1 (1) 필수 과제 등 (2) 선택 과제 등   **2** 동현

3 ❶ 필수 ❷ 체육 ❸ 일곱

1 이 글에서 방학 과제는 필수 과제와 선택 과제가 있다고 설명하였습니다.

> **채점 기준**
> 필수 과제와 선택 과제 두 가지를 모두 잘 썼으면 정답으로 합니다. 두 가지의 순서는 바꾸어 써도 정답입니다.

2 필수 과제 네 개를 다 하고, 선택 과제로 교과 활동의 국어, 예술 활동의 악기, 체육 활동의 줄넘기를 해서 영역별로 각 한 개씩 한 동현이 방학 과제를 제대로 한 것입니다.

> **(왜 틀렸을까?)**
> **친구들이 방학 과제를 잘못한 점 알아보기**
> • **서희**: 필수 과제 네 개는 잘했지만, 선택 과제를 교과 활동, 예술 활동, 체육 활동에서 각 한 개씩을 해야 하는데 교과 활동인 국어, 수학, 사회만 했습니다.
> • **남우**: 필수 과제 네 개를 모두 해야 하는데 하지 않았습니다.
> • **설영**: 필수 과제 네 개를 모두 해야 하는데 일기 쓰기와 한자 쓰기 두 가지만 했고, 선택 과제 중 교과 활동을 하지 않았습니다.

3 필수 과제 네 가지와 선택 과제 세 개, 총 일곱 개의 과제를 개학 날 꼭 제출해야 합니다.

040쪽 똑똑한 하루 독해   어휘

1 (1) 괄람 (2) 물랄리   **2** 제외

3 (1) 크기 (2) 굵기

1 두 낱말 모두 'ㄴ'이 [ㄹ]로 바뀌어 소리 납니다.

2 '배제'와 뜻이 비슷하고, '포함, 포괄'과 뜻이 반대인 낱말은 '제외'입니다.

3 '-기'를 넣어 모양을 나타내는 말을 이름을 나타내는 말로 바꾸어 써 봅니다.

041쪽 똑똑한 하루 독해   게임

○ 역사 만화 그리기는 작품으로, 악기 연주하기는 사진과 동영상으로, 전시회 관람하기는 소감문과 입장권으로, 식물도감 만들기는 보고서로 제출하라고 하였습니다.

042쪽~043쪽 평가   누구나 100점 테스트

1 (2) ○   **2** 강재   **3** ④   **4** ③

5 (3) ○   **6** ㉢   **7** (1) 결혼식 사진 (2) 순수하다

8 상하이   **9** ②   **10** (2) ×

1 개울의 징검다리에서 소년과 소녀 사이에 사건이 생기므로 이야기가 펼쳐지는 장소는 징검다리가 있는 개울입니다.

2 소녀는 소년이 자신에게 말을 걸어 주기를 바라며

징검다리에 앉아 있는데, 소년이 자신의 마음을 몰라주자 소년에게 조약돌을 던졌습니다.

3 '개울둑'은 '개울'과 '둑'을 합해 만든 낱말이므로 낱말의 짜임을 '개울+둑'으로 나타내야 합니다.

> ┌ **[더 알아보기]** ─────────────
> **뜻을 더해 주는 말**
> • **-째**: '동안'의 뜻을 더해 주는 말. 예 사흘째, 한 달째
> • **한-**: '정확한' 또는 '한창인'의 뜻을 더해 주는 말.
> 　　　예 한낮, 한밤중, 한복판, 한겨울
> └─────────────────────────

4 도난으로부터의 안전에 주된 관심을 두고 은행 문의 여닫는 방향을 결정할 수 있다고 하였습니다.

5 글의 제목은 글의 중심 생각을 잘 나타낼 수 있는 것으로 정해야 합니다. 은행 문의 여닫는 방향에 대해 설명하는 글이므로 (3)이 제목으로 알맞습니다.

6 엄마 아빠 결혼식 사진과 개미는 '나'가 실제로 본 것이고, 엄마 아빠 사이로 비집고 들어가자 신랑 신부가 내 손을 잡는 것은 '나'가 상상한 것입니다.

7 시인은 엄마 아빠의 결혼식 사진 속에 들어가는 상상을 하는 아이의 순수한 마음을 표현했습니다.

8 김구는 온 민족이 들고일어나는 것을 보고, 일본의 감시를 피해 중국의 상하이로 건너가 독립운동가들과 대한민국 임시 정부를 세웠습니다.

9 '일이나 행동 따위에 체계가 짜여 있는 것.'이라는 뜻의 낱말은 '조직적'입니다.

> ┌ **[왜 틀렸을까?]** ─────────────
> • **정부**: 입법, 사법, 행정의 삼권을 포함하는 통치 기구.
> • **변장**: 본래의 모습을 알아볼 수 없게 하기 위하여 옷차림이나 얼굴, 머리 모양 따위를 다르게 바꿈.
> • **망명**: 정치, 사상 등을 이유로 받는 탄압이나 위협을 피하기 위해 몰래 자기 나라를 떠나 다른 나라로 감.
> • **임시**: 미리 정하지 않고 그때그때 필요에 따라 정한 것.
> └─────────────────────────

10 선택 과제는 교과 활동, 예술 활동, 체육 활동에서 각 한 개씩 해야 한다고 했으므로 모두 세 개를 해야 합니다.

044쪽~049쪽　　

1 ❶ 배제　❷ 허탕　❸ 신용
2 ❷ 2　❸ 1　❺ 1
3 신발 장수
4 (1) 정확히　(2) 붙어　(3) 맺고
5 (1) ① 초 등　② 초 보
　　(2) 初 志 一 貫

1 1주에서 배운 낱말을 떠올리며 알맞은 답을 씁니다.

2 소년과 소녀가 수숫단에 도착하려면 다음과 같이 가도록 코딩해야 합니다.

3 역사 퀴즈 ❶의 답은 이순신, ❷의 답은 발해, ❸의 답은 장영실, ❹의 답은 덕수궁입니다. 각 문제 답의 빈칸에 들어갈 글자를 합하면 '신발 장수'이므로 그림에서 신발 장수가 변장한 일본 사람입니다.

4 '정조준'은 정확히 조준한다는 말이고, '밀착'은 빈틈 없이 단단히 붙음을 뜻합니다. '연계'는 어떤 일이나 사람과 관련하여 관계를 맺는다는 말입니다.

5 (1) ① 初等(초등): 차례가 있는 데서 맨 처음 등급. 또는 맨 아래 등급.
　　② 初步(초보): 어떤 일이나 기술을 처음으로 시작하거나 배우는 단계.
(2) 빈칸에 들어갈 한자는 初(처음 초) 자입니다.

2주 정답 및 해설

052쪽~053쪽 　　**2주에는 무엇을 공부할까?❷**

1-1 회상　　　　　1-2 (2) ○
2-1 (3) ○　　　　2-2 급격

1-1 '지난 일을 돌이켜 생각함.'을 뜻하는 '회상'이 알맞습니다. '회복'은 '원래의 상태로 돌이키거나 원래의 상태를 되찾음.'을 뜻하는 말입니다.

1-2 할머니께서 젊었을 때 일은 실제로 있었던 지난 일이므로 '공상'이나 '예상'은 알맞지 않습니다.

2-1 물의 깊이가 변하는 것이므로 '변화의 움직임 따위가 급하고 격렬하게.'를 뜻하는 '급격하게'가 알맞습니다.

2-2 기온이 엄격하게 떨어진다는 표현은 어울리지 않습니다.

1일

055쪽 　　**똑똑한 하루 독해 미리 보기**

❶ 노예　　❷ 농장　　❸ 상인

056쪽~057쪽 　　**똑똑한 하루 독해**

1 귀띔해　　　2 레글리(자신)의 명령을 끝까지 등
3 ①, ③　　　4 ❶ 톰 ❷ 명령 ❸ 채찍질

1 '귀띔하다'의 정확한 표기를 잘 알아 둡니다.

2 레글리는 자신의 명령을 따르지 않는 톰의 태도에 몹시 화가 나서 톰에게 채찍질했습니다.

　　채점 기준
　　레글리(자신)의 명령이라는 내용이 들어가게 답을 썼으면 정답으로 합니다.

3 1,200달러를 주고 노예 상인에게 너를 샀다고 하는 레글리의 말을 통해 당시에는 흑인 노예를 사고팔 수 있었다는 것을 알 수 있습니다. 또 레글리가 톰에게 채찍질하는 것으로 보아 당시에는 주인이 흑인 노예를 때리기도 했다는 것을 알 수 있습니다.

4 톰에게 어떤 일이 있었는지 정리하여 써 봅니다.

058쪽 　　**똑똑한 하루 독해 어휘**

1 (1) 아름　(2) 움큼
2 (1) 가난뱅이　(2) 게으름뱅이

1 그림과 문장에 알맞은 낱말을 각각 써 봅니다. '움큼'은 '웅큼'으로 쓰지 않도록 주의합니다.

2 (1) '가난'과 '-뱅이'가 합쳐져 가난한 사람을 뜻하는 낱말인 '가난뱅이'가 되었습니다.
　(2) '게으름'과 '-뱅이'가 합쳐져 게으른 사람을 뜻하는 낱말인 '게으름뱅이'가 되었습니다.

　⎡ 더 알아보기 ⎤
　'-뱅이'가 붙는 말 ⑩
　• 안달뱅이: 걸핏하면 안달하는 사람.
　• 주정뱅이: 주정을 부리는 버릇이 있는 사람. '주정'은 '술에 취하여 정신없이 말하거나 행동함.'을 뜻함.

059쪽 　　**똑똑한 하루 독해 게임**

◉ 낱말 '노예', '움큼', '상인'의 뜻으로 알맞은 것을 찾아 선을 그어 봅니다.

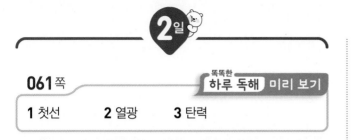

061쪽 똑똑한 하루 독해 미리 보기

1 첫선　　**2** 열광　　**3** 탄력

062쪽~**063**쪽 똑똑한 하루 독해

1 ②　　　　**2** ④, ⑤　　**3** 탄력이 뛰어났기 등
4 ① 구　**②** 정오각형　**③** 축구공

1 '구', '정오각형', '정육각형'을 모두 포함하는 낱말은 '도형'입니다.

　(왜 틀렸을까?)
　　정오각형과 정육각형은 평면 도형이기 때문에 ③의 '입체'는 답이 될 수 없습니다. 또 구는 입체 도형이기 때문에 ⑤의 '평면'도 답이 될 수 없습니다.

2 축구공은 12개의 정오각형 조각과 20개의 정육각형 조각을 이어 붙여 만듭니다.

　(더 알아보기)
　　오각형과 정오각형, 육각형과 정육각형
　　• 오각형은 다섯 개의 선분으로 둘러싸인 평면 도형을 말하고, 정오각형은 변의 길이가 모두 같고 내각의 크기가 모두 같은 오각형을 말합니다.
　　• 육각형은 여섯 개의 선분으로 둘러싸인 평면 도형을 말하고, 정육각형은 변의 길이가 모두 같고 내각의 크기가 모두 같은 육각형을 말합니다.

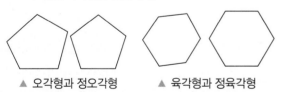

　　▲ 오각형과 정오각형　　　▲ 육각형과 정육각형

3 도형의 성질을 이용해서 만든 축구공은 무척 부드럽고 탄력이 뛰어났기 때문에 전 세계의 축구 선수와 축구 팬은 이 공에 열광했다고 하였습니다.

　채점 기준
　　탄력이 뛰어났다는 내용이 들어가게 답을 썼으면 정답으로 합니다.

4 이 글에서 가장 중요한 내용은 축구공은 수학에서 말하는 구가 아니라 12개의 정오각형과 20개의 정육각형을 이어 붙여 구의 형태에 가장 가깝게 만든 공이라는 사실입니다.

064쪽 똑똑한 하루 독해 어휘

1 (1) 띄게　(2) 띠고
2 (1) 구　(2) 오각형　(3) 육각형

1 (1) '남보다 훨씬 두드러지다'의 뜻으로 쓰였기 때문에 '띄게'를 써야 합니다.
　(2) '성질을 가지다'의 뜻으로 쓰였기 때문에 '띠고'를 써야 합니다.

2 사진과 문장에 알맞은 낱말을 각각 찾아 씁니다.

　(더 알아보기)
　　벌집이 육각형인 까닭
　　• 빈틈이 없어야 하기 때문입니다. 육각형은 서로 잇대어 놓았을 때 빈틈이 전혀 없습니다. 그래서 불순물이 들어가지 않고 빈틈없이 붙어 있어 꿀을 꽉 채울 수 있습니다.
　　• 빈틈없이 딱 맞춰지는 도형 중에서 육각형의 넓이가 가장 넓기 때문입니다. 삼각형이나 사각형으로 집을 지으면 빈틈은 없지만 한 개 당 면적이 육각형보다 작습니다.

065쪽 똑똑한 하루 독해 게임

 야구공의 가죽을 펴면 (원 , (8자)) 모양이에요.

◐ 만화에서 야구공을 만들 때에는 다음 그림과 같이 8자 모양의 가죽을 붙여야 가죽이 뜨지 않고 빈틈없이 단단히 붙어 매끈하고 탄력 있는 야구공이 된다고 하였습니다.

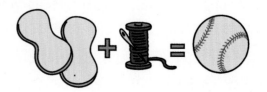

3일

067쪽 똑똑한 하루 독해 미리 보기

❶ 철없던 ❷ 비상 ❸ 섬

068쪽~069쪽 똑똑한 하루 독해

1 ① 2 누에 다섯 마리를 등 3 ①, ④
4 ❶ 누에 ❷ 재주 ❸ 교만

1 '내가 누에를 다섯 마리나 산 채로 삼켰다는 사실을 말해 버린다면'의 '버린다면'과 호응하는 말은 '만일'입니다.

【 왜 틀렸을까? 】
②: '비록'은 '~지만'과 같은 말과 호응합니다.
③, ④: '결코'나 '전혀'는 부정적인 서술어와 호응합니다.
⑤: '반드시'는 '~하여야 한다'와 같은 말과 호응합니다.

2 글쓴이는 누에를 다섯 마리나 산 채로 삼키고 비상한 재주가 생기기를 기대하였습니다.

채점 기준
'누에'라는 말이 들어가게 답을 썼으면 정답으로 합니다.

【 더 알아보기 】
「누에와 천재」
• 글의 종류: 수필
• 제재: 어린 시절 누에를 먹은 경험
• 주제: 겸손과 꾸준한 노력의 중요성
• 특징: 경험한 일을 바탕으로 한 교훈적인 글임.

3 글쓴이는 비상한 재주를 갖고 싶어서 누에를 산 채로 다섯 마리나 삼켰던 일에 대해 회상하며 그때 정말로 비상한 재주가 생겼다면 그 재주를 믿고서 교만하고 게을러져서 어둡고 슬픈 골짜기 속에 떨어져 헤매고 있었을 것이라고 생각하였습니다. 이것으로 보아 글쓴이는 비상한 재주보다는 꾸준한 노력이나 겸손을 더 중요하게 생각하고 추구한다는 것을 알 수 있습니다.

4 글쓴이가 어린 시절 경험한 일과 그에 대한 글쓴이의 생각은 어떠한지 정리해 봅니다.

070쪽 똑똑한 하루 독해 어휘

1 (1) 마치 (2) 백설 공주라면 (3) 포기하지 않고
2 (1) 비범한 (2) 오만하고

1 '마치 ~처럼(같이)', '만약 ~라면(이면)', '결코 ~지 않다' 등과 같이 앞에 나온 말과 반드시 붙어 오는 말이 있는 관계가 있습니다.

【 더 알아보기 】
호응 관계의 종류

종류	예
주어와 서술어의 호응	키가 크고 몸무게가 늘었다.
시간을 나타내는 말과 서술어의 호응	내일 도서관에 갈 거야.
'결코, 전혀, 별로'와 같은 말과 서술어의 호응	그것은 전혀 사실이 아니다.

2 (1) '비상한'과 비슷한말은 '보통 수준보다 훨씬 뛰어난.'이라는 뜻의 '비범한'입니다.
(2) '교만하고'와 비슷한말은 '태도나 행동이 건방지거나 거만하고.'라는 뜻의 '오만하고'입니다.

【 왜 틀렸을까? 】
'평범한'은 '뛰어나거나 색다른 점이 없이 보통인.'이라는 뜻으로 '비상한'의 반대말입니다. '겸손하고'는 '남을 존중하고 자기를 내세우지 않는 태도가 있고.'라는 뜻으로 '교만하고'의 반대말입니다.

071쪽 똑똑한 하루 독해 게임

누에고치 는 누에의 애벌레가 번데기로 변할 때 실을 토하여 몸 둘레에 만든 집이에요. 비단을 짜는 명주실을 이것에서 얻지요.

◉ 누에의 한살이를 통해 누에가 알, 애벌레, 번데기를 거쳐 어른벌레가 되고, 누에의 애벌레가 번데기로 변할 때 실을 토하여 누에고치를 만든다는 사실을 알 수 있습니다. 또 누에고치가 비단을 짜는 명주실을 뽑아내는 원료가 된다는 사실도 알 수 있습니다.

4일

1 불의 **2** 억압 **3** 인격

1 여전히 노예 시절과 다름없었다. 등 **2** 오아시스
3 ④ **4** ❶ 노예 ❷ 흑인 ❸ 연설

1 미국의 노예 제도는 1865년에 폐지되었지만, 흑인들에 대한 차별은 전혀 달라지지 않아서 흑인들의 생활은 여전히 노예 시절과 다름없었다고 하였습니다.

> **채점 기준**
> 노예 시절과 다름없었다는 내용이 들어가게 답을 썼으면 정답으로 합니다.

2 자유와 정의의 '오아시스'라고 표현하였습니다.

3 마틴 루서 킹은 흑인들이 차별받지 않는 세상이 올 것이라는 꿈이 있다고 연설하였습니다.

> **(왜 틀렸을까?)**
> 노예 제도는 1865년에 이미 폐지되었고, 마틴 루서 킹이 연설을 한 것은 1963년이기 때문에 ②는 답이 될 수 없습니다.

4 흑인들에 대한 차별이 전혀 달라지지 않은 것이 원인이 되어 마틴 루서 킹이 흑인들이 차별받지 않는 세상이 와야 한다는 연설을 하게 되는 결과가 생긴 것입니다.

> **(더 알아보기)**
> **흑인 인권의 확장**
> 미국에서 남북 전쟁 이후 노예 해방이 이루어졌으나 이후에도 흑인에 대한 사회적 차별은 여전했습니다. 1960년대 미국의 흑인 인권 운동은 전동차에서 백인과 흑인의 좌석을 분리하는 차별 정책에 항의하는 것에서부터 시작되었고, 꾸준한 활동으로 흑인의 인권 수준을 크게 높이는 성과를 거두었습니다. 남아프리카 공화국에서도 흑인과 백인을 분리하는 아파르트헤이트 정책이 있었으나 많은 사람의 노력으로 현재는 폐지되었습니다.

1 (1) 유료 (2) 유죄 (3) 유식 (4) 유익
2 (1) 깨끗이, 쓸쓸히 (2) 나란히

1 (1) 유료: 요금을 내게 되어 있음.
　(2) 유죄: 잘못이나 죄가 있음.
　(3) 유식: 학문이 있어 견식이 높음. 또는 그런 지식.
　(4) 유익하다: 이롭거나 도움이 될 만한 것이 있다.

2 (1) 뒤에 '-하다'가 붙으면서 변하지 않는 부분의 끝에 'ㅅ'이 오는 '깨끗'의 경우에는 '-히'가 아니라 '-이'를 붙여 '깨끗이'라고 써야 하고, 뒤에 '-하다'가 붙는 말인 '쓸쓸'의 경우에는 '-히'를 붙여 '쓸쓸히'라고 써야 합니다.
　(2) 뒤에 '-하다'가 붙는 말인 '나란'의 경우에는 '-히'를 붙여 '나란히'라고 써야 합니다.

● 1단계와 4단계에서 만난 사람은 인종 차별을 찬성하는 말을 하고 있고, 2단계와 3단계에서 만난 사람은 인종 차별을 반대하는 말을 하고 있습니다. 출발할 때 2칸이었던 에너지가 1단계부터 4단계까지 각각 어떻게 변하는지 색칠해 봅니다.

5일

❶ 착용　　　❷ 시야　　　❸ 중지

1 (1) ○　　　**2** ⑤　　　**3** 주위 물건을 이용하고 등
4 ❶ 준비　　❷ 보호자　　❸ 쥐

1 '초과'는 '일정한 수나 한도 따위를 넘음.'이라는 뜻의 낱말입니다.

　(더 알아보기)
　낱말의 뜻을 짐작하는 방법
　• 앞뒤 문장이나 낱말을 살펴봅니다.
　• 짐작한 뜻과 뜻이 비슷한 낱말을 넣어 봅니다.
　• 그 낱말을 사용한 예를 떠올려 봅니다. 등

2 보트를 탈 때에는 구명조끼를 착용한 후에 물에 들어가야 합니다.

3 사람이 물에 빠지면 직접 구하려 하지 말고 튜브 등 주위 물건을 이용하고, 즉시 119에 신고해야 합니다.

　채점 기준
　주위 물건을 이용한다는 내용이 들어가게 답을 썼으면 정답으로 합니다.

4 물놀이할 때 주의 사항을 간단히 정리해 봅니다.

1 (1) 안중　(2) 시야
2 (1) [칼랄]　(2) [괄리]　(3) [판단녁]　(4) [등산노]

1 그림과 문장에 알맞은 낱말을 각각 써 봅니다.
2 (1) '칼날'은 'ㄴ'을 [ㄹ]로 소리 내야 하므로 [칼랄]이라고 읽습니다.
　(2) '관리'는 'ㄴ'을 [ㄹ]로 소리 내야 하므로 [괄리]라고 읽습니다.

(3) '판단력'은 'ㄹ'을 [ㄴ]으로 소리 내야 하므로 [판단녁]이라고 읽습니다.
(4) '등산로'는 'ㄹ'을 [ㄴ]으로 소리 내야 하므로 [등산노]라고 읽습니다.

　　⚠️ 이 표지판은 (깊은 수심 주의 , 수심 변화 주의)를 나타내요.

◐ '깊은 수심 주의' 표지판이 나와 있습니다.

1 노예　　　**2** (2) ○　　　**3** (2) ×　　　**4** 열광
5 ⑤　　　**6** (1) ×　　　**7** (1) 흑인들　(2) 차별받지
8 (2) ○　　　**9** ③　　　**10** ①, ②, ④

1 톰의 주인인 레글리가 톰에게 행동과 생각까지도 자신이 허락할 때만 해야 한다고 한 것에서 노예는 자유롭게 말하고 행동할 수 없었다는 것을 짐작할 수 있습니다.

2 레글리가 채찍으로 루시를 세게 치라고 하자, 톰은 그 일만은 할 수 없다고 했습니다.

3 수학자들은 완벽한 구의 형태로 축구공을 만드는 방법을 알아낸 것이 아니라, 구의 형태에 가장 가깝게 공을 만들 수 있다는 것을 알아냈습니다.

4 1970년 멕시코 월드컵 때 첫선을 보인 축구공은 무척 부드럽고 탄력이 뛰어나서 전 세계의 축구 선수와 축구 팬은 이 공에 열광했습니다.

　(더 알아보기)
　• **열광**: 너무 기쁘거나 흥분하여 미친 듯이 날뜀. 또는 그런 상태.
　• **비난**: 다른 사람의 잘못이나 결점에 대하여 나쁘게 말함.
　• **외면**: 현실, 사실, 진리 등을 인정하지 않고 무시함.

5 축구공을 만들 때 이용한 정오각형, 정육각형은 도형의 한 종류입니다. 그러므로 ㉠ 안에는 정오각형, 정육각형을 포함하는 낱말인 '도형'이 들어가야 합니다.

6 글쓴이는 배 속에 들어간 누에가 자신에게 비상한 재주를 주지 않은 것을 슬퍼하지 않았습니다. 오히려 비상한 재주를 주어서 자신이 비상한 재주꾼이 되었다면 교만하고 게을러져서 어둡고 슬픈 삶을 살았을 것이라고 생각하고 있습니다. 이를 통해 글쓴이가 재주보다는 꾸준한 노력이 더 가치 있다고 여김을 알 수 있습니다.

7 글 ㈏의 연설자는 흑인들의 권리를 찾기 위해 노력한 마틴 루서 킹입니다. '노예들의 후손과 노예 주인의 후손이 형제처럼 손을 맞잡고', '내 아이들이 피부색을 기준으로 사람을 평가하지 않고'와 같은 연설 내용으로 보아, 마틴 루서 킹은 흑인들이 차별받지 않는 세상을 꿈꿉니다.

8 '꿈'은 여러 가지 뜻을 가진 낱말입니다. ㉠과 ⑵에서는 '실현하고 싶은 희망이나 이상.'이라는 뜻으로 쓰였습니다. ⑴에서는 '잠자는 동안에 깨어 있을 때처럼 보고 듣고 느끼는 정신 현상.'이라는 뜻으로 쓰였습니다.

〔 **더 알아보기** 〕
'꿈'이 들어간 관용 표현
• **꿈 깨다**: 희망을 낮추거나 버리다.
• **꿈도 못 꾸다**: 전혀 생각도 하지 못하다.
• **꿈도 야무지다**: 희망이 너무 커 실현 가능성이 없음을 비꼬아 이르는 말.

9 안내문에 함께 제시된 그림에서 사람들이 구명조끼를 입고 준비 운동을 하고 있으므로 ㉠은 '입은'의 뜻으로 짐작할 수 있습니다. '착용한'은 '옷, 모자, 신발, 액세서리 따위를 입거나, 쓰거나, 신거나 차거나 한.'을 뜻합니다.

10 몸이 떨리거나 입술이 파래졌을 때, 다리에 쥐가 날 때에는 물놀이를 중지하고 물 밖으로 나오라고 하였습니다.

특강 창의·융합·코딩

086쪽~091쪽

1 ❶ 초과 **❷** 교만 **❸** 불의
2 ⑵ ○
3 ⑴ $\frac{2}{4}$ ⑵ $\frac{1}{4}$ ⑶ 2
4 ⑴ 열었다 ⑵ 살지 않는
5 ⑴ ① 대 립 ② 입 증
  ⑵ 立 身 揚 名

1 2주에서 배운 낱말을 떠올리며 알맞은 답을 씁니다.

2 구명조끼가 있는 칸을 모두 지나려면 다음과 같이 가도록 코딩한 코딩 명령을 사용해야 합니다.

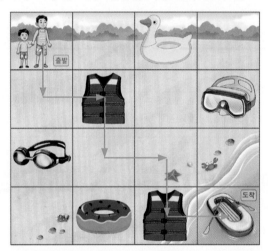

3 존의 엄마께서는 빵과 케이크, 쿠키를 만드시는 데 밀가루를 각각 $1\frac{1}{4}$컵, $\frac{2}{4}$컵, $\frac{1}{4}$컵을 사용하였습니다. $1\frac{1}{4}$, $\frac{2}{4}$, $\frac{1}{4}$을 모두 더하면 2이므로 존의 엄마께서 빵과 케이크, 쿠키를 만드시는 데 사용한 밀가루의 총량은 2컵입니다.

4 '개장'은 '극장이나 시장, 해수욕장 따위의 영업을 시작함.'의 뜻이므로 물놀이장을 열었다는 말입니다. '관외'는 '어떤 기관이 맡고 있는 지역의 밖.'을 뜻하므로 관외 시민은 ○○시에 살지 않는 시민이라는 말입니다.

5 ⑴ ① 對立(대립): 생각이나 의견, 입장이 서로 반대되거나 맞지 않음.
  ② 立證(입증): 증거를 들어서 어떤 사실을 증명함.
  ⑵ 빈칸에 들어갈 한자는 立(설 립(입)) 자입니다.

094쪽~**095**쪽 3주에는 무엇을 공부할까? ❷

1-1 (2) ○	1-2 거래
2-1 뭉쳐서	2-2 뭉쳤다

1-1 장터에서 물건의 양과 규모를 살펴보았다고 했으므로 '거래'가 알맞습니다.

1-2 '전래'는 '예로부터 전해 내려옴.'을 뜻합니다.

2-1 '뭉치다'는 '한 덩어리가 되게 하다.'라는 뜻이고, '찢다'는 '물체를 잡아당기어 가르다.'라는 뜻입니다.

2-2 눈을 커다랗게 한 덩어리가 되게 해야 눈사람을 만들 수 있습니다.

1일

097쪽 똑똑한 하루 독해 미리 보기

❶ 집산지 ❷ 도매

098쪽~**099**쪽 똑똑한 하루 독해

1 한편	2 잔치를 하거나 제사를 지낼 때 등
3 ⑤	4 ❶ 안성 ❷ 열 ❸ 십만

1 '한편'이란 어떤 일에 대하여 앞에서 말한 측면과 다른 측면을 말할 때 쓰는 말입니다. 대개 화제를 바꿀 때나 상황이나 장면이 바뀔 때, 많이 쓰는 말입니다.

　〔 왜 틀렸을까? 〕

　• **그래서**: 앞의 내용이 뒤의 내용의 원인이 될 때 쓰는 말입니다.

　• **왜냐하면**: '왜 그러냐 하면.'의 준말로, 앞에서 말한 내용에 대한 까닭을 설명할 때 쓰는 말입니다.

2 허생이 과일을 모두 사들인 뒤, 양반들이 잔치를 하거나 제사를 지낼 때 쓸 과일을 구할 수가 없어서 난리가 났다고 하였습니다.

　채점 기준
　'잔치를 하거나 제사를 지낼 때'라는 말을 넣어 답을 썼으면 정답으로 합니다.

3 허생이 과일값이 오를 것을 예상하여 전국에 있는 모든 과일을 한꺼번에 사들였다가 팔지 않고 쌓아 두었던 것으로 보아, 허생이 살던 시대에는 이러한 행위가 가능했다는 것을 알 수 있습니다.

4 허생은 만 냥을 들고 안성 장터로 왔습니다. 만 냥으로 전국의 과일을 모두 사들인 뒤 내다 팔지 않았습니다. 양반들이 잔치나 제사에 쓸 과일을 구할 수가 없어 난리가 났고, 과일 장수들이 과일을 달라고 허생을 도로 찾아왔습니다. 허생은 과일을 열 배 이상의 가격으로 되팔아 십만 냥을 벌었습니다.

100쪽 똑똑한 하루 독해 어휘

1 (1) 도착 (2) 도매	2 (1)-②-ⓒ (2)-①-㉠
3 (3) ○	

1 (1) '출발'과 뜻이 반대인 낱말은 '도착', '소매'와 뜻이 반대인 낱말은 '도매'입니다. 보기 에 있는 '착륙'과 뜻이 반대인 낱말은 '이륙'입니다.

2 (1) '손에 땀을 쥐다'라는 표현은 '아슬아슬하여 마음이 몹시 달아오르는 듯하다.'라는 뜻으로, 초조한 마음과 관련이 있습니다. '초조하다'는 '애가 타서 마음이 조마조마하다.'라는 뜻입니다.

　(2) '눈이 동그래지다'라는 표현은 '몹시 놀라거나 의아하여 눈을 크게 뜨다.'라는 뜻으로, 놀란 마음과 관련이 있습니다.

3 허생이 말하는 '배'는 '일정한 수나 양이 그 수만큼 거듭됨을 이르는 말.'을 뜻합니다. (1)은 먹는 배, (2)는 사람의 몸에 있는 배에 해당합니다.

101쪽 똑똑한 하루 독해 게임

허생이 살던 시대와 달리 요즘에는
❶ 공 정 거 래 위 원 회 가 있어서 허생처럼 가격을 마음대로 조정하는 행위는 모두 ❷ 처 벌 된대요.

◉ 요즘에는 공정거래위원회가 개인이나 기업이 가격을 마음대로 조정하는 행위를 적발하여 처벌한다고 하였습니다.

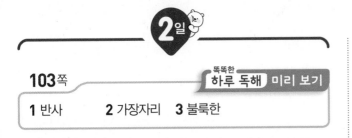

2일

103쪽 똑똑한 **하루 독해** 미리 보기

1 반사　　**2** 가장자리　　**3** 불룩한

104쪽~105쪽 똑똑한 **하루 독해**

1 ①　　　　　　**2** 반사, 불룩하다, 직후
3 햇빛을 반사하는 부분 등
4 ❶ 상현달　❷ 남쪽　❸ 새벽

1 '다만'은 '앞의 말을 받아 예외적인 사항이나 조건을 덧붙일 때 그 말머리에 쓰는 말.'로, '단지'는 '다만'과 같은 뜻입니다.

2 첫 글자의 자음자를 비교해 보면 'ㅈ'보다 'ㅂ'이 국어사전에 먼저 실립니다. '반사'와 '불룩하다' 중에 첫 글자의 모음자를 비교해 보면 'ㅏ'와 'ㅜ' 중에서 'ㅏ'가 국어사전에 먼저 실립니다.

> **더 알아보기**
> **국어사전에서 낱말 뜻을 찾는 방법**
> • 첫 번째 글자의 첫 자음자, 모음자, 받침의 차례대로 찾습니다. 다음 글자도 같은 차례대로 찾습니다.
> • 형태가 바뀌는 낱말은 형태가 바뀌지 않는 부분에 '-다'를 붙여 기본형을 만들어 찾습니다.

3 달이 지구의 어느 쪽에 있느냐에 따라 햇빛을 반사하는 부분이 달라지기 때문에 지구에서 보는 달의 모양이 바뀌어 보이는 것입니다.

> **채점 기준**
> '햇빛을 반사하는 부분'이라고 썼으면 정답으로 합니다.

4 지구에서 보이는 달의 모양은 초승달, 상현달, 보름달, 하현달, 그믐달의 순서로 약 30일 주기로 반복됩니다. 해가 진 직후에는 보름달은 동쪽 하늘에, 상현달은 남쪽 하늘에, 초승달은 서쪽 하늘에 떠 있습니다. 하현달은 한밤중에 동쪽 하늘에서 떠서 새벽에 남쪽 하늘로 사라지고, 그믐달은 새벽에 동쪽 하늘에서 잠깐 보입니다.

106쪽 똑똑한 **하루 독해** 어휘

1 (1) ②　(2) ①　(3) ③　　**2** 대략　　**3** 번개맨

1 '불룩'이란, '물체의 거죽이 크게 두드러지거나 쑥 내밀린 모양.'을 뜻하는 말로, '가운데가 둥그스름하게 푹 패거나 들어가 있는 모양.'을 뜻하는 '우묵'과 뜻이 반대입니다. '뜨다'란 '물속이나 지면 따위에서 가라앉거나 내려앉지 않고 물 위나 공중에 있거나 위쪽으로 솟아오르다.'를 뜻하는 말로, '해나 달이 서쪽으로 넘어가다.'를 뜻하는 '지다'와 뜻이 반대입니다. '직후'는 '어떤 일이 있고 난 바로 다음.'을 뜻하는 말로, '어떤 일이 일어나기 바로 전.'을 뜻하는 '직전'과 뜻이 반대입니다.

2 '약 30일'에서 '약'은 '대강', '대략'의 뜻으로, 그 수량에 가까운 정도임을 나타내는 말입니다.

3 '한밤중'에서 '한'은 '한창인'의 뜻을 더하는 말로, '한밤중'은 '깊은 밤.'을 뜻하는 낱말입니다.

107쪽 똑똑한 **하루 독해** 게임

• 정답은 보름달 입니다.

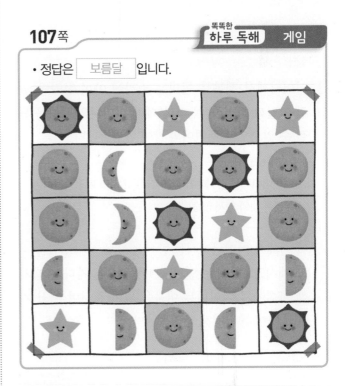

◉ 동쪽에서 떠서 서쪽으로 지고 주로 낮에 볼 수 있는 것은 아니며, 스스로 빛을 내지 못하고, 동그란 모양인 것은 '보름달'입니다.

109쪽 · 똑똑한 하루 독해 미리 보기

❶ 밤중 ❷ 깊도록 ❸ 삯바느질

110쪽~111쪽 · 똑똑한 하루 독해

1 (1) ○ 2 어서 자거라. 3 채연
4 ❶ 삯바느질 ❷ 이불

1 '달달달달'은 어머니께서 재봉틀을 돌리는 소리로, (1)이 재봉틀 사진에 해당합니다.

> (왜 틀렸을까?)
> (2)는 키보드를 누르는 모습이고, (3)은 다리미로 다림질을 하는 모습입니다.

2 어머니께서는 잠에서 깬 아이에게 "왜 잠 깼니? 어서 자거라."라고 말씀하셨습니다. 어머니의 말씀에서 재봉틀 소리에 아이가 잠을 이루지 못할까 봐 걱정하는 어머니의 사랑이 느껴집니다.

> **채점 기준**
> '어서 자거라.'라고 답을 썼으면 정답으로 합니다.

3 어머니께서 재봉틀 돌리는 소리에 아이가 잠을 깬건 아닐까 걱정하시는 부분에서 어머니의 사랑을 느낄 수 있으므로 채연이의 말이 알맞습니다.

> (왜 틀렸을까?)
> 어머니께서 아이에게 책을 더 읽고 자라고 말씀하시는 부분은 나와 있지 않습니다.

4 이 시에서 어머니께서는 밤이 깊도록 삯바느질을 하고 계시고, 아이는 먼저 잠이 듭니다. 자다가 잠시 깬 아이에게 어머니는 이불을 덮어 주시며 어서 자라고 아이를 걱정해 주셨습니다.

112쪽 · 똑똑한 하루 독해 어휘

1 (1) 삯바느질 (2) 바느질삯
2 (1) 나무 (2) 따님 (3) 화살

1 '삯바느질'은 '돈이나 물건을 받고 하여 주는 바느질.'을 뜻하고, '바느질삯'은 '바느질을 하여 준 대가로 받는 돈이나 물건.'을 뜻합니다. 그러므로 (1)에서 엄마께서는 삯바느질을 하여 가족을 먹여 살리셨다는 내용이 자연스럽고, (2)에서는 엄마가 바느질삯으로 쌀을 받아 오셨다고 하는 것이 자연스럽습니다.

> (더 알아보기)
> (1) '삯바느질'은 돈이나 물건을 받고 하여 주는 바느질이라는 뜻이므로, 뒤에 '-하다'가 합쳐져 '삯바느질하다'와 같이 쓸 수 있지만, (2) '바느질삯'은 바느질을 하고 나서 받는 돈이나 물건을 뜻하므로, '바느질삯하다'와 같이 쓰일 수 없습니다.

2 '바느질'은 '바늘'과 '질'이라는 두 낱말이 합쳐진 낱말로, 두 낱말이 합쳐지면서 '바늘'의 받침 'ㄹ'이 없어졌습니다. '소나무'는 '솔'과 '나무', '따님'은 '딸'과 '님', '화살'은 '활'과 '살'이 합쳐진 낱말로, 모두 앞 낱말의 받침 'ㄹ'이 없어졌습니다.

> (더 알아보기)
> **두 낱말이 만나 한 낱말이 되면서 'ㄹ'이 없어지는 또 다른 ⓔ**
> • 아들 + 님 → 아드님
> • 물 + 좀 → 무좀
> • 말 + 소 → 마소
> • 불 + 삽 → 부삽

113쪽 · 똑똑한 하루 독해 게임

◉ 재봉틀 옆에 있는 밑그림을 보고, 각 옷의 부분을 살펴봅니다. 소매가 나풀거리는 날개 모양인 점, 세 개의 단추가 있고 격자 무늬의 옷깃이 있는 점, 치마인 점에서 답을 찾을 수 있습니다. 첫 번째 옷은 소매와 옷깃의 모양이 다르고, 세 번째 옷은 카디건이고, 네 번째 옷은 바지입니다.

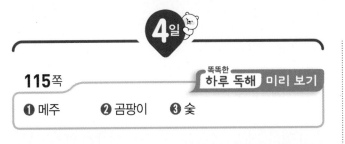

4일

115쪽

❶ 메주　　❷ 곰팡이　　❸ 숯

116쪽~117쪽

1 (3) ○　　2 나쁜 냄새를 없애고 등　　3 ①, ④, ⑤
4 ❶ 콩　❷ 숯　❸ 소금

1 간장과 된장이 형제라고 한 까닭은 한 항아리 안에서 같은 메주로 간장과 된장이 만들어졌기 때문입니다.

〔 왜 틀렸을까? 〕
(1) 간장과 된장의 맛과 생김새는 모두 다릅니다.
(2) 된장을 오랜 시간 두면 간장이 만들어지는 것이 아니라, 하나의 메주로 된장과 간장을 함께 만들 수 있는 것입니다.

2 장독에 숯을 넣는 까닭은 나쁜 냄새를 없애고 메주가 썩는 것을 막기 위해서이며, 고추와 대추는 세균을 없애기 위해서 넣는다고 하였습니다.

〔 채점 기준 〕
'나쁜 냄새를 없애고'라는 말을 넣어 답을 썼으면 정답으로 합니다.

3 차례를 나타내는 말에는 '먼저', '그다음', '그러고 나서', '마지막으로', '첫째', '둘째', '셋째'와 같은 것이 있습니다.

4 된장을 만들려면 먼저 콩을 삶아 찧은 다음 네모나게 뭉쳐서 말려 메주를 만듭니다. 잘 익은 메주를 씻어서 말린 뒤에 항아리에 넣고 소금물을 붓고 대추, 고추, 숯을 띄워 놓습니다. 담근 지 40일 정도가 지난 뒤에 소금물을 걸러 내어 끓이면 간장이 되고, 항아리에 남아 있는 메주를 으깨어 소금을 넣고 한 달쯤 두면 된장이 됩니다.

118쪽

1 (1) 띄운　(2) 피어요　(3) 묵힐수록　　　2 (2) ○
3 (1) 돼　(2) 되

1 '띄우다', '묵히다', '피다'의 뜻을 각각 살펴봅니다. 잘 띄운 메주에는 하얗게 곰팡이가 피는데, 이 메주로 만든 된장과 간장은 오래 묵힐수록 맛이 좋아진다고 하였습니다.

2 '소금물을 붓고'와 '물을 붓고'에서 '붓고'는 모두 '액체나 가루 따위를 다른 곳에 담고.'라는 뜻입니다.

〔 왜 틀렸을까? 〕
(1) '붓다': 살가죽이나 어떤 기관이 부풀어 오르다.
　　예 울어서 눈이 <u>부었다</u>.
(3) '붓다': 불입금, 이자, 곗돈 따위를 일정한 기간마다 내다. 예 은행에 이자를 착실히 <u>부었다</u>.

3 '되'는 혼자 쓸 수 없어서 문장 끝에 오지 못합니다. '됩니다', '되어서', '되지요'와 같이 뒷말이 반드시 따라와야 합니다. '돼'는 '되+어'가 줄어든 말로, 혼자 쓸 수 있어서 문장 끝에도 올 수 있습니다. (1)은 문장 끝에 홀로 쓰였기 때문에 '되'가 올 수 없고, (2)는 뒤에 '-어요'가 결합한 것으로 '되어어요'는 어색한 표현이므로 '되'가 들어가는 것이 알맞습니다.

〔 더 알아보기 〕
'되다'의 뜻과 활용 예
• 뜻: 새로운 신분이나 지위를 가지다. / 다른 것으로 바뀌거나 변하다. / 어떤 때나 시기, 상태에 이르다.
• 예: 나는 커서 피아니스트가 <u>되고</u> 싶다. / 얼음이 물이 <u>되었다</u>. / 어느새 계절이 봄이 <u>되었다</u>.

119쪽

소금물의 간은 달걀을 소금물에 (1) (<u>띄워서</u>, 풀어서) 맞춰요. 만약 달걀이 소금물에 가라앉는다면 소금물이 (2) (짜다 , <u>싱겁다</u>)는 것이므로 소금을 더 넣어야 해요.

○ 간장과 된장을 담글 때에는 메주를 소금물에 넣어야 하는데, 그 소금물의 간은 달걀을 띄워서 맞출 수 있습니다. 만약, 달걀이 소금물에 가라앉는다면 소금물이 싱겁게 간이 되었다는 뜻이므로 소금을 좀 더 넣어야 한다고 하였습니다.

정답 및 해설

5일

121쪽 똑똑한 하루 독해 미리 보기

❶ 옥외   ❷ 붕괴   ❸ 지정된

122쪽~123쪽 똑똑한 하루 독해

1 ③   **2** (1) 신체를 보호 등   (2) 상황을 살필 수 있는 곳 등   **3** ❶ 옥외 ❷ 지역 ❸ 위치

1 '대피한'과 바꾸어 쓸 수 있는 낱말은 '위험을 피하여 몸을 숨긴.'이라는 뜻의 '피신한'입니다.

2 '지진 옥외 대피 장소'란 지진이 발생했을 때 위험으로부터 신체를 보호할 수 있는 안전한 야외 장소로, 긴급히 대피한 주민들이 일정 시간 동안 상황을 살필 수 있는 곳입니다.

> **채점 기준**
> (1)에 '신체를 보호', (2)에 '상황을 살필 수 있는 곳'이라는 말을 넣어 답을 썼으면 정답으로 합니다.

3 누리집에서 '지진 옥외 대피 장소'를 검색하면 지진 옥외 대피 장소를 찾을 수 있습니다. 스마트폰 응용 프로그램을 이용할 때에는 먼저 '안전디딤돌'이라는 응용 프로그램을 설치한 뒤에 시설 정보에서 '지진 옥외 대피 장소'를 선택하고, 원하는 지역을 조회한 뒤에 해당 대피소를 선택하고 위치를 확인하면 됩니다.

124쪽 똑똑한 하루 독해 어휘

1 (1) 자연재해   (2) 홍수(가뭄)   (3) 가뭄(홍수)
2 (3) ○   **3** (1) ③   (2) ②   (3) ①

1 '지진'과 '태풍'의 공통점을 생각하여 두 낱말을 포함할 수 있는 낱말을 찾아봅니다. '지진'과 '태풍' 모두 피할 수 없는 자연 현상으로 인하여 일어나는 재해로, '자연재해'에 모두 포함됩니다. 자연재해에 해당하는 또 다른 예로는 홍수와 가뭄 등이 있습니다.

> **(왜 틀렸을까?)**
> '영토'는 국가의 통치권이 미치는 구역으로 자연재해와 관계가 없습니다.

2 (1)에서 '시'는 '차례가 정하여진 시각을 이르는 말.'의 뜻으로 쓰였고, (2)에서 '시'는 '매우 짙고 선명하게.'의 뜻을 더하는 말로 쓰였습니다.

3 '보건소', '대피소', '매표소'가 어떠한 일을 하는 장소인지 생각하여 알맞은 답을 찾습니다.

125쪽 똑똑한 하루 독해 게임

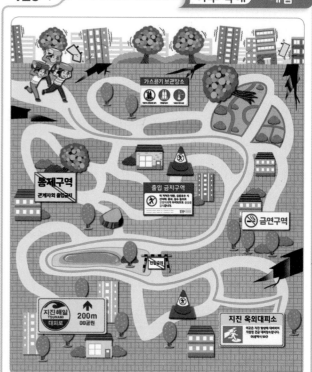

● 지진 옥외 대피 장소임을 알 수 있는 표지판을 찾아 길을 따라가 봅니다.

126쪽~127쪽 평가 누구나 100점 테스트

1 ④   **2** (2) ○   **3** (3) ×   **4** 달, 햇빛
5 ×   **6** (1) ×   **7** 메주   **8** ㉢, ㉣, ㉡
9 (2) ○   **10** ③

1 사람들이 필요한 과일을 구할 수 없게 되면 과일값이 오릅니다. 그때 과일을 팔아 이익을 남기려고 허생은 과일을 사들이기만 한 것입니다.

2 과일 장수들이 과일이 팔리지 않아 쩔쩔맨 일은 없었으므로 현민이의 생각은 알맞지 않습니다.

3 '장삿꾼'은 '장사'와 '-꾼'을 합해 만든 낱말인 '장사꾼'으로 써야 합니다. '-꾼'은 '어떤 일을 전문적으로 하는 사람' 또는 '어떤 일을 잘하는 사람'의 뜻을 더하는 말입니다.

〔 더 알아보기 〕

'-꾼'이 붙는 말
- **사냥꾼**: 사냥하는 사람. 또는 사냥을 직업으로 하는 사람.
- **심부름꾼**: 심부름을 하는 사람.
- **살림꾼**: 살림을 도맡아서 하는 사람. 또는 살림을 알뜰하게 잘 꾸려 나가는 사람.

---

4 달이 햇빛을 반사하는 부분이 달라지면서 지구에서 보이는 달의 모양이 바뀌어 보인다고 하였습니다.

5 달의 모양 변화는 초승달, 상현달, 보름달, 하현달, 그믐달의 순서로 약 30일 주기로 반복됩니다.

6 밤에 삯바느질을 하시는 어머니께서는 아이가 재봉틀 소리에 깨자 어서 자라고 말씀하셨습니다. 이러한 시의 내용에서 아이에 대한 어머니의 사랑을 느낄 수 있고, 자식을 키우기 위해 고생하시는 부모님의 모습을 떠올릴 수 있습니다.

7 글 ㈎에서 메주가 간장, 된장, 고추장을 만드는 데 기본 재료가 된다고 하였습니다.

8 가장 먼저 메주를 매달아 바람을 맞히고 햇볕을 쬐어 줍니다. 그다음에 메주를 항아리에 넣고 소금물을 붓고 장을 담급니다. 40일이 지나면 소금물을 걸러 내서 끓여 간장을 만들고, 항아리에 남은 메주를 으깨어 소금을 넣고 된장을 만듭니다.

9 누리집과 스마트폰 응용 프로그램에서도 주변의 지진 옥외 대피 장소를 쉽게 찾을 수 있다고 했습니다.

10 '야외'는 집이나 건물의 밖을 뜻하는 말이므로 뜻이 비슷한 낱말은 '바깥'입니다.

---

1 ❶ 옥외 ❷ 도매 ❸ 직후

2

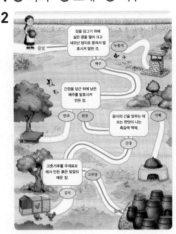

3 ↑, →

4 (1) 거두어 가는 (2) 어긋나는 (3) 공공

5 (1) ① 방 수 ② 방 지 (2) 衆 口 難 防

1 3주에서 배운 낱말을 떠올리며 알맞은 답을 씁니다.

2 제시된 뜻에 알맞은 콩 발효 식품은 메주, 된장, 간장, 고추장입니다.

3 허생이 과일이 있는 칸을 모두 거쳐 광으로 가려면 다음과 같이 가도록 코딩 명령을 완성해야 합니다.

4 '수거함'은 물건을 거두어 가는 통이고, '불법'은 법에 어긋난다는 말입니다. '공익사업'은 공공의 이익을 위해 하는 사업을 뜻합니다.

5 (1) ① 防水(방수): 물이 새거나 스며들거나 흐르지 않도록 막음.
　② 防止(방지): 어떤 좋지 않은 일이나 현상이 일어나지 않도록 막음.
(2) 빈칸에 들어갈 한자는 防(막을 방) 자입니다.

136쪽~137쪽　　4주에는 무엇을 공부할까? **2**

1-1 거듭한	1-2 거듭
2-1 (2) ○	2-2 궁지

1-1 실패를 되풀이한 끝에 만들었다는 의미이므로 어떤 일을 자꾸 되풀이한다는 뜻의 '거듭한'이 알맞습니다.

1-2 '거듭'의 받침 'ㅂ'을 'ㅍ'으로 쓰지 않도록 주의합니다.

2-1 글의 내용으로 보아 빈칸에는 '매우 곤란하고 어려운 일을 당한 처지.'를 뜻하는 '궁지'가 들어가야 합니다. '궁리'는 '어떤 일을 해결할 방법을 깊이 생각함.'을 뜻하는 말입니다.

2-2 속담의 뜻에서 '매우 어려운 처지가 되면'으로 보아, '궁지에 빠진'임을 짐작할 수 있습니다.

1일

139쪽　　똑똑한 **하루 독해** 미리 보기

1 아수라장	2 뗏목	3 묵주

140쪽~141쪽　　똑똑한 **하루 독해**

1 ①	2 이 나라를 탈출해야 한다 등
3 ⑤	4 ❶ 군인 ❷ 아수라장 ❸ 묵주

1 '잽싸게'는 '동작이 매우 빠르게.'라는 뜻을 가진 낱말로 '빠르게'와 바꾸어 쓸 수 있습니다.

2 엄마는 비엣과 휘엔을 앉혀 놓고, 살아남으려면 이나라를 탈출해야 한다고 말하였습니다.

> **채점 기준**
> '나라를 탈출'이라는 내용을 넣어 바르게 썼으면 정답으로 합니다.

3 어려운 일이 있을 때 묵주를 굴리며 기도하는 것은이 이야기의 사건에 영향을 미친 시대적 배경은 아닙니다.

4 이야기의 인물들이 살고 있는 베트남을 탈출하게 된상황과 탈출할 때 일어난 사건을 정리해 봅니다.

142쪽　　똑똑한 **하루 독해** 어휘

1 (3) ○	2 (1) ○

1 아저씨가 휘엔과 나를 번쩍 들어서 뗏목에 태웠다고했으므로 '번쩍'의 여러 가지 뜻 중에서 (3)의 뜻이 알맞습니다.

> **더 알아보기**
>
> **'번쩍'의 다른 뜻 알아보기**
> • 정신이 갑자기 아주 맑아지는 모양.
> 　例 지각이라는 엄마의 말씀에 잠이 번쩍 깼다.
> • 마음이 몹시 끌려 귀가 갑자기 뜨이는 모양.
> 　例 영희는 누가 자기를 좋아한다는 소리에 귀가 번쩍 띄었다.
> • 눈을 갑자기 아주 크게 뜨는 모양.
> 　例 그는 화가 났는지 감았던 눈을 번쩍 떴다.

2 (1) 지진으로 건물들이 흔들리자 도시는 큰 혼란에빠졌을 것이므로 '아수라장'이 들어가야 합니다.

　(2) 마지막 경기를 하고 있는 선수가 공격적으로 상대에게 달려드는 상황이므로 '아수라장'보다는 '막다른 상황에 이르러 어찌할 수 없게 된 상태.'를 뜻하는 '이판사판'이 들어가야 합니다.

143쪽　　똑똑한 **하루 독해** 게임

비엣은 아저씨를 위해 `기` `도` 해 줄 것을 약속했어요.

◉ 베트남의 국기를 떠올린 친구의 글자는 '기', 베트남의 전통 모자를 쓰고 있는 친구의 글자는 '도'이므로비엣은 아저씨를 위해 '기도'해 줄 것을 약속했다는것을 알 수 있습니다.

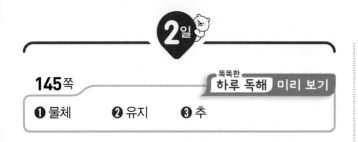

2일

145쪽 똑똑한 하루 독해 미리 보기

❶ 물체 ❷ 유지 ❸ 추

146쪽~147쪽 똑똑한 하루 독해

1 ③ 2 (3) ○ 3 제자리에 있고 등
4 ❶ 관성 ❷ 앞 ❸ 뒤

1 이 글에서는 차를 타고 갈 때 몸이 앞뒤로 쏠리는 현
상을 관성의 뜻과 특징을 통해 설명하고 있습니다.

2 관성이란 물체가 처음의 운동 상태를 계속 유지하려
는 성질이라는 정보를 근거로 멈췄던 차가 다시 앞
으로 출발할 경우, 몸은 그대로 있었던 것을 유지하
려고 하는 관성으로 인해 뒤로 쏠리게 될 것이라는
사실을 추론할 수 있습니다.

> **더 알아보기**
>
> **글의 내용을 추론하며 읽는 방법**
> • 자신이 평소에 아는 사실과 경험한 것을 떠올려 보고 무
> 엇을 더 알 수 있는지 생각해 봅니다.
> • 글에 쓰인 낱말이 어떤 뜻인지 정확히 이해하려면 국어
> 사전을 찾아봅니다.
> • 이야기의 특정 부분을 바탕으로 하여 알 수 있는 내용과
> 더 추론할 수 있는 사실을 살펴봅니다.
> • 글 내용을 바탕으로 하여 친구들과 함께 질문을 만들고
> 서로 묻거나 답해 봅니다.

3 첫 번째 마술에서 종이를 천천히 당길 때에는 추가
함께 움직이지만, 종이를 빨리 당기면 추는 제자리에
있고 종이만 쏙 빠져나온다는 것을 알 수 있습니다.

> **채점 기준**
> 추가 제자리에 있게 된다는 내용을 바르게 썼으면 정답
> 으로 합니다.

4 차를 타고 갈 때 몸이 앞뒤로 쏠리는 현상을 원인과
결과로 나누어 정리해 봅니다.

148쪽 똑똑한 하루 독해 어휘

1 (2) ○   2 (1) 밀다 (2) 도착하다 (3) 물러서다
(4) 오르다   3 (1) 왔다 갔다 (2) 튕기면

1 밑줄 그은 '운동'과 같은 뜻으로 쓰인 것은 (2)의 '운
동'으로 여기서는 별들이 시간의 흐름에 따라 하는
활동이나 움직임을 뜻합니다.

> **왜 틀렸을까?**
> (1)에서 '운동'은 '사람이 몸을 강하고 튼튼하게 하거나
> 건강을 위하여 몸을 움직이는 일.'이라는 뜻입니다.

2 (1) '당기다'는 '물건 따위를 힘을 주어 자기 쪽이나
일정한 방향으로 가까이 오게 하다.'라는 뜻으로
반대되는 말은 '밀다'입니다.
(2) '출발하다'는 '목적지를 향하여 나아가다.'라는
뜻으로 반대되는 말은 '도착하다'입니다.
(3) '나아가다'는 '앞으로 향하여 가다.'라는 뜻으로
반대되는 말은 '물러서다'입니다.
(4) '내리다'는 '탈것에서 밖이나 땅으로 옮아가다.'
라는 뜻으로 반대되는 말은 '오르다'입니다.

3 (1) '왔다 갔다'는 띄어 써야 합니다.
(2) '튕기면'으로 써야 바른 말입니다. '튕기면'은 '엄
지손가락 끝으로 다른 손가락 끝을 안쪽으로 힘
주어 눌렀다가 놓음으로써 다른 손가락이 힘 있
게 앞으로 나가게 하면.'이라는 뜻입니다.

149쪽 똑똑한 하루 독해 게임

🐹 탑을 쌓고 빼낼 판을 정한 다음에는 (1) (비스듬하게 ,
수평으로) 치는 것이 중요해요. 힘껏 친 판이 빠져도 탑이
무너지지 않는 까닭은 원형 판들이 (2) (관성 , 관습)을 가지
기 때문이에요.

● 빼낼 판을 정한 다음에는 수평으로 쳐야 탑이 무너
지지 않게 됩니다. 이때 탑이 무너지지 않는 까닭은
원형 판들이 관성을 가지기 때문입니다.

3일

151쪽 · 똑똑한 하루 독해 미리 보기

1 답사 **2** 모범 **3** 도읍

152쪽~**153**쪽 · 똑똑한 하루 독해

1 답사 순서와 시간대 등 **2** (2) ○ **3** ②
4 ❶ 능산리 고분군 ❷ 부소산성 ❸ 궁남지

1 이 글의 첫 문장에는 글쓴이가 부여를 답사할 때 답사 순서와 시간대를 가장 중요하게 생각한다는 것이 드러나 있습니다.

> **채점 기준**
> '답사 순서와 시간대'라는 내용을 넣어 바르게 썼으면 정답으로 합니다.

2 해가 긴 여름이라면 부소산성을 거닐어 보라는 글쓴이의 말에서 '거닐어'는 '가까운 거리를 이리저리 한가로이 걸어.'라는 뜻입니다.

3 글쓴이가 다녀온 곳은 부여입니다. '부석사'는 경상북도 영주시 부석면 북지리에 있는 절이므로 글쓴이가 다녀온 장소가 아닙니다.

4 글쓴이의 여정을 오후부터 저녁 시간, 그리고 이튿날 아침 시간으로 나누어 정리해 봅니다. 글쓴이가 시간의 흐름에 따라 어떤 여정으로 여행하였는지 글에서 찾아 써 봅니다.

> **〔 더 알아보기 〕**
> **답사를 잘하는 방법 알아보기**
> • **답사를 하기 전**: 답사 전에 미리 정보를 조사하고 가면 답사를 할 때 드는 비용이나 시간을 절약할 수 있습니다.
> • **답사를 할 때**: 책이나 인터넷 등을 통해서 살펴본 것들을 직접 보게 되어 더 생생한 정보들을 얻을 수 있습니다.
> • **답사를 한 후**: 답사를 한 후에는 장소와 날짜, 내용, 느낀 점 등을 보고서로 작성해 두는 것이 좋습니다.

154쪽 · 똑똑한 하루 독해 어휘

1 (1) 든, 든 (2) 던 **2** (1) 만약 (2) 왜냐하면 (3) 비록
3 (1) 덮여 (2) 끊겼다

1 (1) 서울에서 출발하는 것과 공주를 거쳐 오는 것 중에서 어느 것이나 선택해도 되는 상황이 드러나므로 '든'이 알맞은 말입니다.
(2) 과거에 깨끗했던 계곡물에 대해 이야기하고 있으므로 '던'이 알맞은 말입니다.

2 (1) '만약'은 '혹시 있을지도 모르는 뜻밖의 경우.'라는 뜻으로 '~면'과 호응합니다.
(2) '왜냐하면'은 '왜 그러냐 하면.'이라는 뜻으로, 주로 '때문이다'와 호응합니다.
(3) '비록'은 '아무리 그러하더라도.'라는 뜻으로, '~ㄹ지라도', '~지만' 등과 호응하여 쓰입니다.

> **〔 더 알아보기 〕**
> **문장 성분의 호응**
> 낱말끼리는 서로 잘 어울리는 것들이 있습니다. 이를 문장 성분의 호응이라고 합니다.
> • 그것은 **결코** 우연한 일이 **아니었다**.
> • 아마 아직도 널 기다리고 **있을걸**.
> • 이 말은 남에게 **절대** 하지 **마라**.

3 (1) 안개가 산을 덮은 상황이므로 산이 안개에 '덮여' 있는 것이 맞습니다.
(2) 머리를 묶다가 머리 끈이 끊어진 상황이므로 '끊었다'가 아니라, '끊겼다'가 맞습니다.

155쪽 · 똑똑한 하루 독해 게임

「멋스럽게 부여를 돌아보는 법」의 글쓴이가 소개한 순서대로 각 장소에 있는 글자를 모두 합치면 ┌멋│스│러┐ └운│부│여┘ 라는 말이 만들어져요.

◉ 글쓴이는 '능산리 고분군 → 부소산성 → 구드래 나루터 → 궁남지 → 정림사지 오층 석탑 → 국립 부여 박물관'의 순서로 답사 여정을 소개하였습니다.

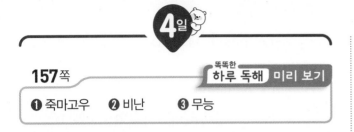

157쪽 똑똑한 하루 독해 미리 보기

❶ 죽마고우   ❷ 비난   ❸ 무능

158쪽~159쪽 똑똑한 하루 독해

1 하지만   **2** ④
3 고향에 계시는 늙은 어머님 등
4 ❶ 포숙   ❷ 덕   ❸ 우정

1 관중이 늘 더 많은 이익을 가져갔지만, 포숙은 그런 관중에게 욕심쟁이라고 하지 않았습니다. 빈칸의 앞뒤 문장을 살펴보면 서로 일치하지 않거나 반대되는 사실을 나타내는 두 문장을 이어 줄 때 쓰는 말인 '하지만'이 들어가야 합니다.

> (왜 틀렸을까?)
> • '그래서'는 앞의 내용이 뒤의 내용의 원인이나 근거, 조건 따위가 될 때 쓰는 말입니다.
> • '즉'은 '다시 말하여.'라는 뜻입니다.

2 관중은 모든 것이 포숙의 덕이라고 이야기하면서 자신이 포숙을 궁지에 빠뜨린 적이 있었다는 것을 말하고 있습니다.

3 관중은 싸움터에서 도망친 적이 있었는데 포숙은 관중을 보고 겁쟁이라고 하지 않았다고 하였습니다. 포숙은 관중이 고향에 계시는 어머님 때문에 도망쳤다는 것을 잘 알고 있었기 때문입니다.

> **채점 기준**
> '고향에 계시는 어머님'이라는 내용을 넣어 바르게 썼으면 정답으로 합니다.

4 이 글에서 '관포지교'라는 말의 뜻을 짐작할 수 있는 단서와 그 낱말의 뜻을 정리해 봅니다. 자신을 알아준 사람이 포숙이었고 최고의 자리에 오른 것이 모두 포숙의 덕이라고 관중이 말한 내용을 단서로 보았을 때 '서로 이해하고 믿는 깊은 우정이나 그런 친구.'라는 '관포지교'의 뜻을 짐작할 수 있습니다.

160쪽 똑똑한 하루 독해   어휘

1 (1) 낚 시 터   (2) 놀 이 터
2 (1) 계시는   (2) 분   **3** (1) 이익   (2) 무능

1 (1)은 '낚시질하는 곳.'을 나타내는 말인 '낚시터'가, (2)는 '주로 아이들이 놀이를 하는 곳.'을 나타내는 말인 '놀이터'가 알맞습니다.

2 (1) 어머님이 고향에 있다는 뜻이므로 '계시는'이 들어가야 합니다.
(2) 낳아 주신 부모님에 대한 표현이므로 '분'이 들어가야 합니다.

3 (1) 병재는 수영이 자신에게 보탬이 될 것이라고 생각했으므로 '이익'이 들어가야 합니다.
(2) 승희는 시험을 잘 보지 못해 우울해하므로 '무능'이 들어가야 합니다.

161쪽 똑똑한 하루 독해   게임

(3) ○

◉ 빙고 세 줄을 완성하려면 🌞이 그려진 칸에 (3)의 '붕우유신' 그림이 들어가야 합니다. 빙고 세 줄이 완성된 모습은 다음과 같습니다.

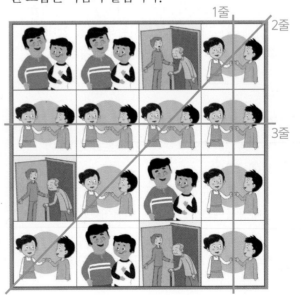

5일

163쪽 똑똑한 **하루 독해** 미리 보기

❶ 무인   ❷ 서가   ❸ 문의

164쪽~165쪽 똑똑한 **하루 독해**

1 ④   2 대출이 정지 등
3 ④ → ① → ② → ⑥ → ③
4 ❶ 스마트도서관 ❷ 회원증 ❸ 서가

1 '편리하게'와 반대되는 말은 '어떤 것을 사용하거나 이용하는 것이 거북하거나 괴롭게.'라는 뜻을 가진 '불편하게'입니다.

> **【 왜 틀렸을까? 】**
> ③: '간단하고 편리하게.'라는 뜻을 가진 낱말입니다.

2 이용 안내문에서 '이용 안내' 부분에 반납일을 초과하는 경우에는 초과한 일수만큼 대출이 정지된다고 설명되어 있습니다.

> **채점 기준**
> '대출 정지'라는 내용을 넣어 답을 썼으면 정답으로 합니다.

3 이용 안내문의 '이용 순서' 부분을 살펴본 뒤 순서에 맞게 번호를 나열해 봅니다.

4 스마트도서관을 언제, 어디에서, 어떻게 이용하는지 정리해 봅니다. 스마트도서관의 이용 안내문에서 이용 안내, 이용 순서를 살펴보면서 정리합니다.

166쪽 똑똑한 **하루 독해** 어휘

1 (1) 이용 (2) 유의   2 (1) 초과 (2) 미만
3 (1) ② (2) ①

1 (1) 대상을 필요에 따라서 이롭게 쓰는 것을 '이용'이라고 합니다.
　(2) 마음에 새겨 두어 조심하며 관심을 가지는 것을 '유의'라고 합니다.

2 (1) 높이가 3미터를 넘는 차는 터널을 들어갈 수 없는 그림이므로 '초과'가 들어가야 합니다.
　(2) 키가 120센티미터가 되지 않는 사람은 이용할 수 없다는 그림이므로 '미만'이 들어가야 합니다.

3 (1) 책을 반납하기 위해 도서관을 찾아가야 하므로 '방문'이 들어가야 합니다.
　(2) 학생증을 지니고 있으면 할인을 받을 수 있으므로 '소지'가 들어가야 합니다.

167쪽 똑똑한 **하루 독해** 게임

◉ 도서관의 곳곳을 살펴보면서 숨은 그림을 찾아서 표시해 봅니다.

168쪽~169쪽 평가 **누구나 100점 테스트**

1 ③   2 베트남   3 ⑤   4 (2) ○
5 ④   6 ③, ④   7 (1) 입구 (2) 시작해야
8 가난하다   9 관포지교   10 ③

1 적군과 싸웠던 아빠는 영영 소식이 없다고 했습니다.

2 이 글은 베트남 전쟁을 배경으로 합니다. 수도 사이공이 무너지고 적군이 마을을 점령하자, 엄마는 '나'와 휘엔을 베트남을 탈출하는 뗏목에 태웠습니다.

3 '흙빛'은 흙의 빛깔을 뜻하는 말로, 어둡고 굳은 표정이나 얼굴빛을 비유적으로 이르는 말로도 쓰입니다.

┌─ **(더 알아보기)**
│ **얼굴 표정과 관련된 말**
│ • **새파랗다**: 춥거나 겁에 질려 얼굴이나 입술 따위가 푸른
│   빛이 돌 정도로 창백하다. 예 큰 개가 쫓아오자 아이는
│   겁이 나서 얼굴이 새파랗게 질렸다.
│ • **붉으락푸르락**: 몹시 화가 나거나 흥분하여 얼굴빛 따위
│   가 붉게 또는 푸르게 변하는 모양. 예 사내는 몹시 화가
│   나서 얼굴이 붉으락푸르락하여 소리를 질렀다.
└─

4 관성은 물체가 처음의 운동 상태를 계속 유지하려는 성질이라고 하였습니다.

5 앞으로 달리던 차가 멈추면 몸은 차가 가던 방향으로 계속 가려고 하기 때문에 앞으로 쏠리게 됩니다.

6 글의 첫부분에서 부여 답사는 답사 순서와 시간대를 잘 정하는 것이 아주 중요하다고 하였습니다.

7 어디에서 출발하든 부여 입구에 있는 능산리 고분군에서 답사를 시작해야 한다고 하였습니다.

8 포숙은 관중이 가난하다는 것을 알고 그 처지를 이해했기 때문에 관중이 이익을 더 많이 차지해도 욕심쟁이라고 비난하지 않았습니다.

9 관중과 포숙의 사귐을 뜻하는 말은 '관포지교'입니다. '죽마고우'는 대나무로 만든 말을 타고 놀던 친구라는 뜻으로, 어릴 때부터 같이 놀며 자란 가까운 친구를 뜻하는 말입니다. '애지중지'는 매우 사랑하고 소중히 여기는 모양을 뜻하는 말입니다.

10 '대출 권수 및 기간'에서 한 사람이 2권씩 14일 동안 대출할 수 있다고 하였습니다.

┌─ **(왜 틀렸을까?)**
│ ① '연중무휴'는 일 년 내내 하루도 쉬는 날이 없다는 말이
│   므로 스마트도서관은 공휴일에도 운영됩니다.
│ ② 24시간 운영되므로 밤에도 이용할 수 있습니다.
│ ④ 우리시 통합 도서관 회원증 소지자가 이용 대상입니다.
│ ⑤ 반납일을 초과한 일수만큼 대출이 정지되므로, 이틀 지
│   나 반납하면 이틀 동안 책을 빌릴 수 없습니다.
└─

170쪽~175쪽

1 ❶ 호젓하다 ❷ 이익 ❸ 무인
2 무지개
3 (1) 공주 (2) 부여 (3) 익산
4 (1) 정리하는 (2) 오래된 (3) 빠르게
5 (1) ① 무 인 도 ② 무 음
　 (2) 感 慨 無 量

1 4주에서 배운 낱말을 떠올리며 알맞은 답을 씁니다.

2 다음과 같이 코딩 명령을 따라가면 도착하는 역은 무지개역입니다. 따라서 훈이는 스마트도서관이 있는 무지개역으로 가야 합니다.

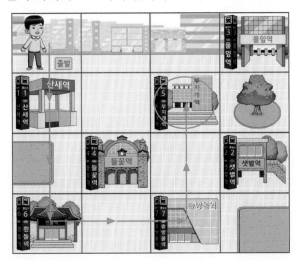

3 백제 역사 유적 지구에 속하는 지역은 '□♥, ▣◑, ♣★' 세 곳입니다. 〈암호 풀이〉에서 각 암호가 뜻하는 글자를 찾아보면 '□♥'는 공주, '▣◑'는 부여, '♣★'는 익산이라는 것을 알 수 있습니다. 지도를 살펴보며 각 지역의 위치도 알아 둡니다.

4 '정비'는 '도로나 시설 따위가 제 기능을 하도록 정리함.'을 뜻하므로 공원 시설 정비는 공원 시설이 제 기능을 하도록 정리하는 것을 말합니다. '노후'는 '제구실을 하지 못할 정도로 낡고 오래됨.'을 뜻합니다. '신속'은 '매우 날쌔고 빠름.'을 뜻합니다.

5 (1) ① 無人島(무인도): 사람이 살지 않는 섬.
　　 ② 無音(무음): 소리가 없음. 또는 소리가 나지 않음.
　 (2) 빈칸에 들어갈 한자는 無(없을 무) 자입니다.

문제 읽을 준비는
저절로 되지 않습니다.

문해력을 키우는 시간

하루 10분

똑똑한 하루 국어 시리즈

문제풀이의 핵심, 문해력을 키우는 승부수

예비초~초6 각 A·B
교재별 14권

예비초 A·B, 초1~초6: 1A~4C
총 14권

정답은
이안에
있어!

배움으로 행복한 내일을 꿈꾸는
천재교육 커뮤니티 안내

. . .

 교재 안내부터 구매까지 한 번에!
천재교육 홈페이지

자사가 발행하는 참고서, 교과서에 대한 소개는 물론
도서 구매도 할 수 있습니다. 회원에게 지급되는 별을 모아
다양한 상품 응모에도 도전해 보세요!

 다양한 교육 꿀팁에 깜짝 이벤트는 덤!
천재교육 인스타그램

천재교육의 새롭고 중요한 소식을 가장 먼저 접하고 싶다면?
천재교육 인스타그램 팔로우가 필수!
깜짝 이벤트도 수시로 진행되니 놓치지 마세요!

 수업이 편리해지는
천재교육 ACA 사이트

오직 선생님만을 위한, 천재교육 모든 교재에 대한 정보가 담긴
아카 사이트에서는 다양한 수업자료 및 부가 자료는 물론
시험 출제에 필요한 문제도 다운로드하실 수 있습니다.

https://aca.chunjae.co.kr

 천재교육을 사랑하는 샘들의 모임
천사샘

학원 강사, 공부방 선생님이시라면 누구나 가입할 수 있는 천사샘!
교재 개발 및 평가를 통해 교재 검토진으로 참여할 수 있는 기회는 물론
다양한 교사용 교재 증정 이벤트가 선생님을 기다립니다.

 아이와 함께 성장하는 학부모들의 모임공간
튠맘 학습연구소

튠맘 학습연구소는 초·중등 학부모를 대상으로 다양한 이벤트와 함께
교재 리뷰 및 학습 정보를 제공하는 네이버 카페입니다.
초등학생, 중학생 자녀를 둔 학부모님이라면 튠맘 학습연구소로 오세요!